国家出版基金项目
NATIONAL PUBLICATION FOUNDATION

《三联经典文库》

第二辑

2012年国家出版基金项目

三联经典文库

198

一生的幸福前途

——《生活周刊》信箱选集

生活书店 编选

生活·讀書·新知 三联书店

图书在版编目(CIP)数据

一生的幸福前途——《生活周刊》信箱选集 / 生活书店编选.
-- 北京：生活·读书·新知三联书店，2014.1
（三联经典文库第二辑）
ISBN 978-7-108-04599-7

Ⅰ.①一… Ⅱ.①生… Ⅲ.①书信集－中国－当代
Ⅳ.①I267.5

中国版本图书馆CIP数据核字(2013)第152213号

198 一生的幸福前途——《生活周刊》信箱选集

责任编辑 卢 莹
封扉设计 蔡立国
责任印制 徐 方
出版发行 生活·讀書·新知 三联书店
(北京市东城区美术馆东街22号)
邮 编 100010
经 销 新华书店
印 刷 北京鹏润伟业印刷有限公司
版 次 2014年1月北京第1版 2014年1月北京第1次印刷
开 本 787毫米×1092毫米 1/32 印张 12.625
字 数 178千字
定 价 46.00元

《三联经典文库》出版缘起

适逢生活·读书·新知三联书店八十华诞，为弘扬传统，接续文脉，回报读者，服务社会，我们决定策划出版《三联经典文库》。

1932 年 7 月，生活书店在上海创办，此后，读书出版社和新知书店相继成立。本文库第一辑、第二辑所选图书，来自于这三家出版单位及其分支机构，以及 1948 年生活·读书·新知三联书店成立后的出版物，始于 1932 年，截至 1951 年，两辑各一百种。此为第二辑，涉及政治、经济、社会、军事、思想文化诸领域，涵盖专著、文集、散文、小说、诗歌、传记、报道等体裁，既有直面现实、追求真理、讴歌真善美、抨击假恶丑的原创作品，又有引介世界各国先进文化、传播新知、开启民智的迻译之作，真实记录了那一代知识分子的思考与探索、理想与愿景和对中华民族文化传承与创新所做出的努力与贡献。

本文库所辑入各书，多为名家名作，在版本方面，以初版一印本或经著译编者审定、修订、增订过的版本为首选，因此本文库又具有较为珍贵的版本价值和收藏价值。

本文库还将编选续辑，使之成为恢弘文化工程。诚挚希望读者给予批评和指正，帮助我们完善编选工作，再现三联经典作品之风采。殊为遗憾的是，由于年代久远，一些原著译编者及其后人未能取得联系并奉付稿酬，诚盼版权所有者与我们联系。祈愿三联前辈所创造的精神财富能薪火相传，为中华文化的伟大复兴增光添彩。

《三联经典文库》编辑委员会

2013年8月

凡　　例

一、本文库为重排本，由繁体字竖排版改为简体字横排版。

一、以忠实于原作、整旧如旧为编辑原则，对当时使用的专有名词、外文译名，以及民国时期的语言和特色予以保留。

一、原书注释如旧，编者所出的注释，均以“编者注”标明，以示与原书注释的区别。

一、对原书残缺或字迹漫漶之处，以□示代。

一、对繁简文本转换时的“如右”、“见左”一类，对应改为“如上（前）”、“见下（后）”。

一、对原书中各种错讹脱衍之处，直接订正，不再以其他符号标示。

一、对数字、标点符号的用法，在不损害原文语义的情况下，做必要的规范。

一、本文库各书均前插原书书影、原书版权页和文库版“本书出版说明”。

一、本书出版说明的撰写，以客观中立为原则，扼要介绍本书的内容、版本流转、著译编者的情况。

本书出版说明

本书是《生活周刊》信箱栏目所发表的文章的选集，分为求学、职业、社交、恋爱、婚姻、家庭六编。针对读者提出的一些私人生活问题，尤其是关于男女社交、恋爱、结婚方面的烦恼与苦闷，也可以说是当时社会问题的反映。编者态度亲切，设身处地为提问者一一作答，根据事实加以分析，提出意见或解决问题的办法。虽然答复是就事论事，但是在这些答复中又贯穿着明确的原则，即根据每个提问者的具体情形拟出解决办法，着眼点立足于培养人格独立和人人互尊，促进社会进步。原书中的大部分文字，在当年出版时加了着重号，极其影响阅读，此次出版，编者将原有着重号一律删除。

1932 年，韬奋先生曾经将《生活周刊》上发表过的问答文字汇集成两册出版。1946 年，生活书店又把这两册《信箱文集》重新删选后合编为一册出版，即本书。

第二版出版时间不详，1947年2月第三版。此次出版，即以第三版为底本。

本书由生活书店编选，据本书序文介绍，当年主要是由韬奋先生一人执笔，亲自答复各地读者来信提出的问题。

邹韬奋（1895-1944），原名邹恩润，乳名荫书，曾用名李晋卿。江西余江人。生于福建长乐。十六岁入南洋公学小学部，念完南洋公学大学工科二年级后，考入上海圣约翰大学文科三年级，主攻西洋文学，辅修教育。1921年毕业，获文学学士学位。曾任上海厚生纱布交易所英文秘书。自1926年至1944年期间，主编《生活》周刊，创办生活书店、《大众生活》周刊、《全民抗战》（由《全面抗战》三日刊与《全民》月刊合并而得名），曾两度被迫流亡海外，“七君子”之一。1944年7月病逝于上海。根据其遗嘱的请求，同年9月中共中央在唁电中追认其为中国共产党党员。著作结集为《韬奋文集》。

生活·读书·新知三联书店

2013年8月

生活书店 1947 年 2 月第三版书影

· 版權所有 ·

編選者 生活書店
主編者

發行人 徐伯昕

上海呂班路六號

發行所 生活書店 重慶·星加坡

特約經售處 聯營書店 重慶·漢口·成都

中華民國三十五年七月初版（一〇〇〇册）

中華民國三十六年二月三版（二〇〇〇册）

S〔67〕

原书版权页

目次

第六编 家 庭

序

说起中国的杂志发展史来，就不能不想到韬奋先生所主编的《生活周刊》。中国自有杂志以来，直到现在，恐怕还没有一个别的杂志的读者数目超过《生活周刊》的。《生活周刊》中每期有信箱，多半都由韬奋先生自己执笔，答复各地读者来信提出的问题。这是最受读者欢迎的一栏，也是《生活周刊》能够拥有这样多的读者的原因之一。在民国二十一年韬奋先生曾把《生活周刊》上发表过的信箱汇印成两册，出版以后，又极受到读者欢迎。

虽然已经是相隔十五年了，中间又经过八年的抗战，中国的社会的确已经发生了很大的变动，但是就另一方面看，中国社会又究竟还没有经过根本的改革。因此，我们至今重读这些老信箱，依然还能感觉到津津有味，依然还感到这些是活生生的现实问题。这里所讨论的都可以说是属于私人生活的问题，尤其多的是关于男女社交恋爱结婚的问题，这里面反映了在十五年前的许多人从这些问题上所感到的烦恼与苦闷，也可说是当时的社会问题的反映。到了现在，这些问题难道已经在社会中绝迹，难道已再没有人为这类问题所烦扰了么？恐怕是谁也不敢肯定答复的吧？

在韬奋先生主持下的“生活信箱”的答复，在我们看来，至少可以举出两个特点：

第一是亲切。韬奋先生是真心为读者服务的人，因此的确能够设身处地为提问题的人打算，给他的一生的幸福前途着想。纵然所提的问题很琐碎，但答复总是不厌其详，切实根据事实加以分析，提出意见或办法，决不是只用几句空话来敷衍塞责。这恐怕是能得到读者爱戴的最大原因。

第二是有明确的原则。这些答复，固然都是切切实实的就事论事，不说空话，但同时这些答复中又是贯串着明确的原则的。韬奋先生是在实际帮助人解决一切私生活问题，同时也不忘记这些私生活问题和整个社会问题的关联；他是根据每一个提问题的人所说的具体情形来拟出解决办法，但也处处着眼于培养人格的独立和互尊，促进社会的进步。假如不是这样，这些答复也就没有可贵，就和流俗的许多以浮滑的“世故学”来说教的书一样了。因为有确定的原则，所以每一个答复不仅使读者知道如何解决这一个问题，而且学到如何解决这一类问题的办法以至立身处世的根本态度。这自然也是“生活信箱”之所以博得人人爱读的一个原因。

因为这样的缘故，所以这些信箱，至今我们还觉得是值得许多人来阅读的。韬奋先生之循循善诱，诲人不倦，虚心诚恳的为人作风也流露在这些信箱的答复中，这本身就可以为我们待人接物的模范。当韬奋先生病故已近一年的时候，我们更不胜痛悼这一位大众的导师，人民的良友。

现在我们把这两本《信箱汇集》，除删除其中时间性较强的一部分外，又把问题重复的稍去了一些，合编为一册。此外还有三本《信箱外集》，是当时直接答复读者，未在刊物上发表的信稿汇印成的，我们或者也要另外再编印。

三五，三，二〇。

第一编　求　学

最难解决的一个问题

莫世英

晚现年念六岁，幼时毕业于国民小学，后因无力升学，即入先父所服务之豆麦行习业，晚入附近夜校习英文三年，而中文只靠自己研习，现稍觉通顺，不料三年后该行即行闭歇，而先父亦于是年去世，从此生活方面顿成问题，晚不获已即入报关行服务。但习非所学，兴趣索然，而一家生活所需，又渐入不敷出，因此感觉晚之前途亦无甚希望。故对于人生观方面亦得不到适当之解答。而前途茫茫，来日之困苦，实有不堪设想者。故起初满拟求些专家学识，以冀有所发展，但回顾环境之恶劣，非但专门学识无从获得，即普通学识亦难寻求，其故因仰事俯蓄，责无旁贷，倘一旦求学，非但老母妻子无人赡养，势须转乎沟壑，而最低限度之学膳等费，亦无所出，此种情形，岂非最难解决而又最痛心之问题乎。是以晚思之重思之，欲求两全之法，只有入夜校补习，然进步甚慢，而见效亦微。但除此之外，千思万想，实无两全之策。所以因循复因循，蹉跎岁月已有五六年之久，而至今仍未能解决。然而时不我待，既一误于前，不可再误于后，以故冒昧上渎，以求万一之解答。如蒙指教，实所感祷。

十五，十二，十五。

〔答〕莫君来书，诚恳之意流露于字里行间。莫君自谓"中文只靠自己研习"，今文字犹能如此通达，敬佩敬佩。莫君所提出之"无力升学"问题，诚然为"最难解决之问题"，即能解决，亦决非一言一时所能办到。然愚劝君决勿以此自馁。就愚现身说法，中学大学之学业，亦全恃自己自赚自筹得来之用费，千辛万苦，始能卒业，至今回想往昔苦楚，犹觉酸鼻，然卒得渐度难关，回念困苦，亦复可乐，愚自己既为苦学生出身，故对于莫君所处之境地，益觉十二分的表同情，苦学生涯，不外工读。愚当时所入学校，并非工读学校，乃一面在校求学，同时于课余在校外任事，当时身体则疲于奔命，精力则艰于应付，至万不得已时，则只得辍学若干时，就一私塾教席，然后以所得继续求学若干时，迨入大学，则费用益不资，一面得校长委任，于晚间助理本校图书馆事务，一面于下午课后往校外兼任私人家塾教务，同时复须料理繁重之功课，而用费仍时有不敷之虞。回忆当时尚能有此竭力维持之可能者，一为区区品性学识，尚能取得当时认识我者之十分信任，凡请我担任教务者，皆为彼等家人或子弟学业之改进计，并非为救济我之贫穷计也。（愚提出此点，盖欲表明纯粹利己之求人，希望极少，亦在乎自己之努力而已。）二为尚有此等机会可以利用，未至陷入绝境。三为幸有一二知己，当极危时，予我以一部分之相当经济援助。处此境地，因所兼任之事，当然短局，本学期不知下学期之情形，故“提心吊胆”，精神上极觉不安。我有一位同学，处境与我相同，奋勉之外，益以内心焦灼，学业方成，已患痨病而逝。此等处青年极当注意，当知处此境地，决非焦灼所能济事，一方常随机想法，一方尚须心神泰然，否则身之不存，学亦无用。纵上所述，吾人欲入校作苦学计，亦须具有下列之几个条件：（一）有一二特长能为人服务；（二）遇有相当之服务机会；（三）如服务所得尚不敷用，则有临时可恃之相当救援；（四）身体精神虽劳，而有涵养工夫，心神安泰，不至以内心过于焦灼而伤生。老友陈霆锐君（现为上海名律师），王志莘君（现主持上海工商银行贮蓄部事，屡有著作登本刊）均系苦学生出身，且在求学时代于自身用费外，尚有家累加身，愚尝研究彼等所经历，亦不外能有上述之几个条件，此固不仅区区个人之经验也。其中第一第四两条件虽甚重要，尚在可以自主之范围内；若第二第三两条件，则虽亦自己之有以吸人信用，然机会之有无，则可待而不可必，此则属于各个人之特殊情形，非普通公式所能解决者矣。莫君已有此数条件可利用乎，则诚善；如其无之，则入校事似暂时不可能，而尚须有待也。

退一步言，即未能入校，苟真有志，亦非不能增进其学识经验。老友毕云程君（现任豫丰纱厂协理）之道德文章及其学识经验，均为侪辈所信仰，然毕君固未正式入校，其所得乃全在任事时代逐渐学习者也。毕君之经历，暇当另为文述之。兹可先述一二，以励有志之青年。毕君最初为学徒，其国文之开始，乃由自己留心阅看报纸，不明了处则请教柜台上之帐房先生。久之则帐房先生尚须向彼请教。在当时，安能自料今日彼之文字竟能从事著述乎。（毕君曾主撰《新民德报》，风行一时，后以事忙中辍，又出版多种关于棉业之著作，均极有价值。）后曾一度入商务印书馆任排版，此等于现在之排字，其性质可谓呆板极矣。当时商务正在提倡新式教科书，各科课本均有，毕君一面排版，同时竟就各版大做读书工夫，彼现在科学常识之富，即基于此，后入上海纱业公所为书记，亦极寻常书写之职耳，而毕君竟能就所得纱业报告，编一有系统之统计报告，参以有价值之研究，刊行以贡献于业棉者。为实业专家穆藕初君所见，极加赞赏，延任厚生纱厂主任，现任豫丰纱厂协理，穆君恃之如左右手焉。

愚观毕君当时所就诸事，可谓无一事之前途有好希望可言，而事在人为，学在人求，机会在人能利用，固无事能限之也。莫君闻此，更可以勿因目前境遇而自馁矣。故莫君能入校固是一种办法，苟不得上述之数条件，则业余自学，（或如君所言，并就夜校补习亦有裨益，）亦非必无希望，决勿以此悒郁，且学问之事亦非一朝一夕所能求速效，求者固当极积，然亦当知有其必需之时间功候，欲速不达，徒自焦灼，亦非所宜。即愚及所举数友之经历，亦在十年以上，苦学诚苦，惟知其当然是苦，无所用其怨尤，亦不必过于焦急，但存贮才以待机会之心，不堕落，不丧志，既种其因，迟早必有相当之果也。

愚以上所述乃就能入校求学与不能入校亦未尝不可求学之两方面言之，且举实例以为证，不知可供莫君参考否？本刊收到读者关于此类困难之信件颇多，特举莫君一信以为代表，并略表愚个人所见于此。作为各信普遍的回答，以供观览，倘宏达更有切实卓见，务望不吝赐教。

我们的读书合作

朱　近

我是一个商店里的小伙计，所以我所接近的人物，当然也只是限于小伙计——同一店中的同事。但虽然我们一群都是小伙计，可是我们并不愿意自弃我们增进知识的机会。固然我们在现在难得冲出经济压迫的重围去，而不得不过着不合理的生活，但我们终希望努力做一个真正的人。所谓真正的人，并不是醉生梦死虚度一生的人，而是知道人生的意义，自己的责任，及对人群社会不无些许贡献的人。因为这样，所以我们现在努力于求知。说到求知，就非从读书开始不可。但我们都是一般无钱的人，在过去，我们中终算有两个进过中学，但其余几个人，不是进过高小而未能毕业，便是私塾出身；在现在——在这教育贵族化的时代，我们更无求学的可能。虽然这里有不少的夜校，但我们既然没有钱，也就不能进去。而且那种市侩式的投机的学校，实在也没有一点切实的知识教给人，只是贩卖着他往昔在学校里所贩买来的一些浅薄得可怜的东西，我们实在也不愿意进去。我们现在所进的学校，只是我们自己唯一可信的自修学校，我们买书自己来研读，有不了解的，我们就彼此来研究讨论。譬如我们中有要学英文的，他就把书买来，我们中英文程度较高的就教他读；我们中有要研究文学的，我们中就有欢喜文学的，他有许多书可以借给他，指示他。对于各种学问，我们都是这样来研究，我们读的书籍，一面是如上所说的尽我们各人所有的互相流通，一面则随各人自己的欢喜随时去买。所以我们虽只几个人，书籍算起来倒也不少。我们中有人要买书的时候，终先经过我们中阅读那类书比较多的人的介绍，指定，因为他比较的知道那本书的内容和价值。我们还定有不少的杂志，但这是我们大家分了定的，譬如今年叶君定了某杂志，我就不再定，而改定另一种杂志了。因为这样我们可以经济些。但这是我们不约而同的合作，并不要预先约定，或较量定价的贵贱——即各人出钱的多少。这种精神，我觉得尤为可贵。去年我们所定的杂志，共有十五种。今年有几种杂志停了版，我们改定了别的杂志。因为看不惯店里所定的没有声气的报纸，我们还共同定了一份《时事新报》，报费派到各人名下，只要几角钱，而所得的益处，则不可胜计。天津《大公报》，我们本也想共同去定，但因不胜两份报费的负担，后来我们就设法使也是我们经理所主持的另一公司去定，托该公司同事白天看了之后晚上拿给我们看，这样也就满足了我们的欲望。此外，我很有几个欢喜读书的朋友——当然也是小伙计，我从他们那里也可借阅许多书籍和杂志。借来了后，我们中有要读的，他就可拿去读，而转辗至于全体。这样，就完成了我们的读书合作。

最后我还要一说的，就是我们这种行动，很引起了一向与我们隔离的别的同事的注意。他们在先是什么书都不要看的，就是有欢喜看的，也只是看黑幕，武侠，性欲狂等恶劣的小说；现在也渐渐地被我们同化了。他们有时也把我们的书拿去读，并且看后说是很有意义。但这般人也只限于比较年轻些的，因为只有年轻人，才富于求知欲。至于那些年纪比较大的，他们是无论如何也不看的。这因为他们既有地位，又有钱，还读书做什么呢？有时我们和他们谈及读书一类的事，他们还嘲我们是“新派”呢。你看好笑不好笑？俗语说：对牛弹琴，牛不入耳，这话真是一些也不错的。

我以为我们的读书合作，不无表而出之为商界青年借镜的价值，故拉杂写来如上。不知编者先生以为如何？

三，七。

〔答〕这种读书合作的办法当然是一件极好的事情，说起它的利益，至少是（一）买书费可以经济，（二）彼此可以介绍所见得到的值得看的书报，（三）彼此都得到交友切磋的快乐，（四）彼此的学识都于不知不觉中有了进步，（五）一种书报可由好几个人享用，增加书报的效用。关于此事当然也有几点困难，其尤大者是志投意合的朋友不易得，值得看的书报不多见——除非能读西文的书报，中国的出版界实在患着贫血症，这是无可讳言的。但是“天下无难事，只怕有心人”，我们当在可能的范围内，抓住“不愿意自弃我们增进知识的机会”。

编者

得意后的失望

吴若谦

我入职业界数年，于服务之余，愈觉知识之饥荒，一年来幸而得到工读机会，苦乐参半，兹请将所感为先生言之。

读书，不惟培养人们生活的技能，并且使人们的眼界扩大，胸襟宽阔，想像力高远，同情心浓挚。教人们做思想的主人，勿为信条的奴隶。读书本不一定要进学校，但进学校，却是读书的一个重要手段。有些小学毕业，便帮着家庭作活去了；有些，过了中学，要成家立业，家庭的负担，妻子的缠绵，不容许他升学了，至于由小学而中学而大学继续不断读书的，那是现社会的幸运儿！我没有那么幸运，但也不算最不幸，在六年前，总算毕业于中学，虽不必负担家庭的生计，家庭也不再供给我去升学。于是时时作工读的美梦。去年，因服务机关的特许，得赴某院选课——和服务机关有关系各科——每晨二时，自八时至十时。

工读足以弥补失学的苦痛。在不荒废职务的原则之下，无论晨课夜校，均属可行。以自己工作的酬报，作求学一切的经费，既无需乎家庭的供给，复无损于个人的事业，这实是一件快事。不过还有两点使我感着得意后的失望：（一）自修时间的缺乏。大抵中等以上的教育，教者不过提示要点，融会贯通，全靠自己参考博览。单读课本或单听演讲，便是一字不忘，所得的概念，充其量，不过一本书和若干次的演讲罢了，何况事实上还不能完全记忆呢！工读时期，又不应玩忽了本职，因此每天可以供阅读的时间，不过夜晚的三数时，在此期间，只要同事或朋友来询问一件事，或随便的谈判几句，足够分散我的注意力，也足够侵占我仅有的光阴了。自信尽职的我，一面感于当局的美意，一面重视所任的职务，有时不免在夜晚办一些公务，因此预备功课的时间固有余，参考书籍的机会则甚少。阅书的量不丰富，学术的造诣，自然就很有限。（二）请益问道的困难。治学贵抱怀疑的态度，贵有深思的苦功。见着问题，发生一些怀疑，再继以思维，从思维中，获得一切有关系的知识。有时独自穷思冥想，不通其故；有时别具见解，愿与人辩。此时最好就教员质疑问难。然而来去有定时，匆匆上课，匆匆下课，不能和教员作较长较深刻的谈话。有疑莫得而指引，至为烦闷。

也许是对于教者对于自己，期望太殷，易于失望，并且常因失望而发生痛苦的感觉。我自己想了两种救济的办法。（一）迟些睡眠，早些起身——晨六时起晚十一时眠——年富力强的青年，一天有了七小时的睡眠足够了。反正早起有益于卫生，想不致因此而妨碍健康。（二）有疑难处，纵然不能在上课时——以免耽误同学的时间——或不及于下课后提出，可以改用书面。以诚意动教员，请他们稍微牺牲一些时间，用书面答复。先生以为如何？

二十，五，二四。

〔答〕吕君[1]此信所言，都是他亲历的甘苦，所以

[1] 本文的“吕君”跟前边的写信人“吴若谦”应为同一人，不一致之处显系作者或编者笔误。——编者注

说得那么亲切有味。他的高尚志趣，他的工读机会，都是我们所敬羡的。他说这是“得意后的失望”，我觉得不是“失望”，乃是俗语所谓“学然后知不足”:“知不足”是进步之母，与其说是“失望”，不如说是无限的希望。于此记者有一点要奉劝吕君的，就是我们对于无限的希望，作不断的进攻则可，“发生痛苦的感觉”则不可；进攻的时候，当以愉快的态度和舒适的精神进行，时间上和工作上尽管不免紧张，而在精神方面及心理方面却须常常保持坦荡荡的气象，绝对要避免常戚戚的境域。

至于吕君所提出的“两种救济的办法”，愚意以为尚有可以斟酌之处。学识要紧，健康也要紧，两者相较，健康实更要紧。有了健康，不怕无增进学识的可能，也不至有了学识而不能应实用的弊病。像吕君日间要办公，晚间有三数时的自修，我以为已够，只须持以恒心，循序渐进，学识上之日有进步，可以无疑，若更要侵略到晚间睡眠的时间，我认为很不妥当。如有过人的精力，像电学发明家爱迪生每晚只睡四小时，活到九十几岁还是健存着未死，那是例外。假使吕君也有此类异乎常人的体格，我不反对，否则就寻常的体格说，每晚至少要有八小时的充足睡眠，一时“侵略”了这种很重要的休养时间，也许不至立刻觉得不良的影响，勉支多时，不免损及健康。“早起有益于卫生”固不错，但迟睡和克扣不可少的睡眠时间却是有害的，这一点不可不注意。

关于书面商榷一层，如内容简单，尚可行，否则长篇累牍，写者答者都很费时间，似不如当面来得便当。关于这一点，我以为做教师的应于授完若干课时，酌抽上课的时间在教室内和学生讨论，任他们提出疑问或意见，作比较详尽的研究。我以为教师应养成学生的思考力和判断力，不应用注入式的死法硬把材料灌到学生的脑经里去，便算了事。在大学里尤其要鼓励提倡这种讨论研究的精神和兴趣。如能设法商请教师采纳这种办法，吕君的第二难题便可解决了。

编者

错误的眼光

陈文泰

昨今两天北平各报载着一段南京新闻通讯。关于此事，我认为确有讨论一下的价值。现在先把事实的真相录在下面：

“京市八府塘京华中学，系中央大学毕业生傅况麟所创办，由傅自兼校长。本届招考录取新生中，有女生王佩棻者，亦属考取新生之一。

“王本在上海明德中学读书，嗣因家产中落，其父又业商失败，乃令佩棻从师习艺，红毹毡上，久负芳誉。今夏三度来京鬻歌于夫子庙天韵楼头，艺名为王玉蓉，珠喉一曲，听者魂消。以是捧之者颇不乏人，惟佩棻身为歌女，然好学不倦，歌余绣罢，恒一卷在握。且曩时在申，尝师事已故名士袁寒云，受其薰陶后，学问更有根底。

“最近积得花粉之资，毅然投考京华中学，以遂其求学之志。因其资质之聪颖，即告录取，乃不禁喜出望外，是后仍以佩棻学名，每晨手携书籍，前往上课，俨然一女学士矣。以王无歌女习气，故未为人识破。不图上课未满旬日，该校校长傅况麟氏，偶于日前课余之暇，涉足歌场。正在天韵楼上与三五友人凝神听戏之时，忽见绣帘启处，一美人攀帷而出，玉貌珠喉，艳若天仙。经傅氏详视之下，该歌女王玉蓉者，乃即其绛帐中之女弟子王佩棻也。同侪与之嘲笑，致傅不禁羞愧无地，傅以王贱为歌女，厕身校中，认为有玷校誉，乃于翌日到校后，即以一纸皇皇布告，将王佩棻开除校籍，不准上课。佩棻以好学心切，得此消息后，即啜泣终日，且为之辍歌。自思虽身为歌女，然公民之权，并未剥夺。且鬻歌亦属正当职业之一，焉得受此不平等之待遇？在此愤恨交并之下，乃上书于傅况麟氏交涉。经记者觅得原函，录之如下，惟不知傅校长将何以解说也：

“‘况麟先生暨各先生钧鉴：佩棻在贵校一纸牌示之后，退出贵校的大门了。佩棻操清唱业，先后来京三次，相片登在各报，先生等尝读各报，在人情上说，不能说是见到佩秦，不知佩秦是歌女。佩秦在上海进德女校及明德中学读书，原来的名字就叫佩秦，并不有要进贵校改名朦混的情形。佩秦此次到贵校求学，并不是讲人情进去的，完全是由贵校考取的。佩秦到校上课已将一周，自问洁身自好，并未稍犯校规，及不端行为与言语。现在先生等突发牌示，说佩秦身为歌女，有伤贵校名誉，应即开除。不知道歌女不能在贵校读书，贵校章程有明白规定没有？歌女在中华民国的国民平等有特殊阶级没有？佩秦有伤贵校名誉有事实没有？先生等在教育界也算闻人，在法律上，况麟先生是大律师，开除佩秦学籍，当然想有相当的根据，请先生等明白的向佩秦宣示。佩秦是一个弱者，为生活压迫，万不得已才来鬻歌谋生。在先生等看来，以为一开除就可了事，但佩秦为歌女的人格计，为人类平等计，为整个的社会问题计，敬请先生等注意理性。佩秦求学的宝贵时间不会再来，今年的时间，因为贵校的开除而牺牲，若无充分的理由，应请先生等负牺牲的全责。被开除学生王佩秦上’”

我们看过以上的事实和王女士上校长的信，对于此事已得到两种观念：一是“该校校长傅况麟氏”的头脑简单和思想腐陋；一是王女士与环境奋斗的勇敢和人格的纯洁。吾人对于“该校长”的压迫女性既表示极端反对，对于王女士所受的大打击，复表示深切的同情。

讨论这个问题，首先要认清两种原则：一是歌女的人格问题；一是歌女的读书问题。以南京为中央政府所在之地，既能允许歌女的存在，当然要承认它“亦属正当职业之一”。但是历来的歌女都受封建社会的卑视，在提倡女子人格平等和打消阶级观念的今日，这种眼光是错误的，应当承认歌女的人格平等。我们明了此点以后，可知歌女为同等国民无疑。若是能与环境奋斗而得到求学的机会，是值得提倡的。

王女士因为环境所迫，落为歌女，确实可怜。但她能超脱环境，而“无歌女之习气”，并且决心继续求学，“积得花粉之资”，“以遂其求学目的”，同时仍要“鬻歌谋生”。她的奋斗的勇气和不幸的遭遇更是可歌可泣。至于她“到校上课已将一周，自问洁身自好，并未稍犯校规，及不端行为与言语”，诚不知况麟君认为王女士“有玷校誉”的事实在什么地方？

况麟君与友人在歌场“凝神听戏之时”，遭“同侪与之嘲笑”，结果“不禁羞愧无地……乃于翌日到校后，以一纸皇皇布告，将王佩棻开除学籍”，可见王女士之被开除，乃是校长先生“羞愧”的余怒在那里作祟，而毫无事实的根据。他以为歌女的人格卑贱，自不能以歌场为高尚的娱乐场所，但自己身受过高等教育而又是中学的校长，反倒偕友人前往“凝神听之”，不知他将何以自解？诚如南京某报所评，谓：“校长既可涉足歌场，而学生就不可为生活压迫而去卖艺，如认卖艺为不正当，则办学校当校长何异于商人之做生意耶？”

本来中国人的脑子里存着封建的思想太深，对于社会上的种种制度和观念，要想改革极不容易，这只有靠着社会上的舆论来判断和改造。如最近李石岑与童蕴珍的事件便算一例。詹詹女士曾奖励童女士有大无畏精神，并且说：“假若遭人欺侮者，为保全脸面起见，宁受委屈而不愿发表对方的罪状，则法律虽严厉，舆论虽公正，也无所用了。”（语见九月二十日《北平晨报》。）王女士的事件包含着许多很复杂的问题，都是目前社会上随时发现的，她不肯缄默，上书质问校长，也许给了社会上一个评论的机会，把向来错误的眼光做一种有力的改正吧。先生观察力之正确，思想力之透彻，素所敬佩，愿闻先生对此事公正的批评。

十，四，二五。

〔按〕傅校长的眼光错误，王女士的义正词严，陈先生的义愤填膺，我们看了这封信，都“洞若观火”，再清楚明白没有的了，记者原不必画蛇添足，再说些什么，不过记者还有一点感触的，便是教育的资产化，阶级化和商业化的问题。不把这种不平等和不合理的制度根本改造，责备一二人，恐怕在事实上没有多大的效果。例如试就资产化的一点说，现在的教育制度完全建筑在资本主义的基础上面，有钱的人就是笨如猪猡都可以入校求学，没有钱的人就是特别聪明也只得被摈于学校之外，这显然是不平等不合理的现象，但这是全盘制度的问题，要铲除这种不平等不合理的现象，非设法把全盘制度改变不可，否则要想一二学校独异，入学以智力或志愿为唯一标准，完全免费，在事实上无法办到。这不是要替现在这样不平等不合理的学校有所辩护，因为这种学校非根本改造不可，绝对没有替它辩护的必要。记者此处所欲指明的是要铲除这种不平等不合理的现象，须大刀阔斧的从大处落墨，不是头痛医头脚痛医脚的办法所能奏效。其次请言阶级化，阶级和资产当然有相当的连带关系；有钱的人往往就是有势的人，有势的人往往就是更有钱的人。所以资产化的教育当然同时是阶级化。像王女士倘若不是“家产中落，其父又业商失败”，也不致“为生活压迫，万不得已才来鬻歌谋生”；换句话说，因为缺了孔方兄做伴侣，便由“钱”的“中落”而连带陷入“势”的中落，致受“不平等之待遇”，“愤恨交并”。关于傅校长将“王佩棻开除校籍”一事，我们试作进一层的研究，还与学校的商业化有很大的关系。商业化的学校靠学生的学费为收入的大宗，学生人数愈多，这一方面的收入也愈多，所以商业化的学校当局对于招徕学生的技术方面不得不下切实的工夫。凡有碍于学生的招徕，便是有碍于学费的收入，这是命根所在，绝对不肯轻轻放过的，王女士“身为歌女”，在傅校长“认为有玷校誉”；其实不仅傅校长一人有这样的“错误的眼光”，“与之嘲笑”的“同侪”也具有同样的心理；其实不仅傅校长和他的“同侪”而已，陈先生固已说出，“本来中国人的脑子里存着封建思想太深”，也具有和傅校长同样的“错误的眼光”的人恐怕不在少数。在这种情形之下，傅校长一定想到留着王女士在他的校里，和他具同样眼光的人势必纷纷把他们的女儿改入他校，在他已有的学生人数上不免发生影响，对于将来招徕新生的策略上也受很大的打击。这样一来，对于学校收入方面当然有很大的损害，在商业化的学校是不得不十分重视的。就这方面的研究，与其说傅校长觉得“身为歌女”在人格上有什么令他不满意的地方，不如说他恐怕因此影响到他的学校的收入。所以记者以为此事和学校的商业化有很大的关系。

资产化，阶级化，商业化的教育的制度是应在打倒之列，这是无疑问的。不过我们要解决这个问题，非从制度本身作大规模的改造不可。傅校长之“压迫女性”诚应引起我们的“极端反对”，王女士所受的“绝大打击”也诚应引起我们的“深切的同情”，这我都和陈先生表示同意。不过记者所希望的，是这个局部的突发的事实应能引起我们对于全盘的社会制度（教育制度也包括在内，是全盘的社会制度之一部分）的深刻的观察，看出傅校长的“错误的眼光”的背后实伏有很复杂的不合理的社会制度的因素。这个局部的，突发的，不平等不合理的事实，应能引起我们改造整个的不平等不合理的社会制度的努力。这是记者于表同情于陈先生的卓见之外所欲补充的一点管见。

编者

霹　雳

周文彬

我是一个快要辍学的女子。当我在十岁的时候，不幸我的亲爱的母亲弃养，是年秋，姊姊又步后尘。母亲和姊姊死后，家里又没祖父母或叔伯，赖仁慈的父亲兼尽母职，扶养我们，已有五年，所以我和弟妹不因了没有母亲而稍苦，为我们吃苦的人除了父亲，也没有第二个人。

我在今年暑期高小毕业之后，心中自然很想升学，但在事实上，恐怕不能达到这个目的。有一天，我的父亲对我这样说："我不是因为你是个女孩子而不愿意使你受中等教育。你是有两个弟弟一个妹妹而没有母亲的人，家里没有照顾；我是一个近五十岁的人，外而酬世，内而顾家，身体上很疲倦，并且一向很弱，不时疾病，又没有侍奉汤药的人，不得已，想叫你辍学，你以为怎样？”

唉！我听了如半空里起了个霹雳，惊得什么似的。半晌开不得口，眼泪不知不觉的夺眶而出，呆呆的站在那里，动也不动的望着父亲。

他又说：“你若是一个好孩子，我想你是总不为了辍学而就不研究的。如世界闻名的林肯，他只读了十八个月的书，其余都是自修来的。中外名人由自修而成名的多得很。你要什么书，对我说，我同你去买。”

先生，这事怎么办呢？我若辍学，那么将来怎能在社会服务？只好做一个不事生产的人了。若不辍学，父亲有这样的重担，我不去分担，还有谁呢？自修果然好，怎能比得学校里教得明白？可否请先生想个万全的方法？不胜铭感之至。祝你健康。

再者，本埠有否良好的函授学校，也请附告一声。

十八，八，六。

〔答〕照周女士所说的境地，本刊上期里所登《麦克唐诺的女儿》一文似乎很可以供参考。那篇文里所述的易色柏女士便是一面助父亲主持家务，一面继续的入校求学。

横在周女士眼前的问题不外两途：一是效易色柏的办法，就是一面助理主持家务，一面继续的入校求学；一是辍学在家，作自修的工夫。我们以为周女士当尽力筹谋第一个途径，能用第一法最好；至万不得已而无可如何时，只得用第二法，因为我们解决任何问题，都只能就可能的范围内尽我们的心力做去，不能超出所能利用的凭借而凭空解决的。

周女士的父亲说自修也是一样的可以获得学问，这句话当然是不能说他错的。不过要明白，能入校求学可以算是第一条路；无力入校求学，不得已而全用自修的工夫，可以算是第二条路。第一条路当然是顺些，快些；第二条路当然是曲些，慢些。如遇着实在无法走第一条路，只有第二条路可走的人，我们当然不对他说他是无路可走了，当然要说第二条路也是可以走的；因为有曲的路慢的路走，总比不走的好，况且确有许多人因不得已而走曲路慢路也达到了他们的目的地。但是力量能够走第一条路的人，我们还是劝他走第一条路，并不劝他走第二条路，因为顺路快路当然比曲路慢路好些。试再用一个譬喻来说明这层意思。由上海到苏州有两条路可走：第一条可由京沪路的火车去，只须两小时就可以到；第二条可由苏州河乘民船去，要一日一夜才可以到。无论那一条路，如能继续不断的前进，都可以达到苏州，这当然是不错，但是有火车可乘时，或乘得起火车的人，我们当然还是劝他乘两小时可到的火车，不应劝他乘一日一夜才到的民船；如无火车可乘，或乘不起火车（尤其是搬运行李之类），那只得用民船了。

求学是有志求自立者最重要的基本方法，女子要得未来的幸福，或免未来的危险，无论嫁后用得着用不着，有了可以自立的学术，总可以加一重保障。周女士的父亲如在经济方面没有问题，尽可另用比较干练的女仆，或延请相当的看护，日间照料小孩，女士尽可在日间入校肄业，做通学生，晚间回家略加审核指挥，主持大体，似非绝对办不到的事情。以上是就采用第一法着想。倘她的父亲在经济上有问题，第一法无力实行，那么不得已，只有实行第二法，就是只有在家自修，或进一函授学校。

总之，我们以为周女士宜尽力设法走第一条路，实在不得已时才走第二条路。

求学……做事……讨老婆……怎样好呢?

林志章

我是高级中学读了半年的一位苦青年，我是生长于一个很穷苦的家庭。（中略）学费是我一位舅父帮忙的。不幸这位舅父于两月前逝世了，于是我便没有了救星，其势不得不辍学。现在我的父亲已设法托人在某银行里荐得一个位置，叫我放学后就去做事。这是我十分痛心的事，我自量我的终身便从此亡了！我真对不住器重我的那位舅父啊！想到这两点不禁下泪。我的志愿要求学，实在不愿意就辍学做事，而今处在这种退进两难的境地，痛苦已极。不但如此，我的父母看见我已十八岁了，他们固然出于好意，要替我讨老婆，我虽再三推却，他们总说这件事没有办，他们好像有一件心事放不下。我现在听他们这样苦劝，又被我的舅母数次的力劝，意已活动。不过我父母不能顾我的学费，当然不能替我养老婆，就是极力帮我一小部分，我自己也要负一部分责任，银行初进去的时候，薪金又微薄，也是一件担心的事。我要求教于先生的问题，简单说起来，就是下列两点：（一）现在要不要决计辍学就事；（二）现在要不要体贴父母的意思，即行结婚？唉！我要求学，现在不能继续求学，逼得我要做事，同时苦劝我讨老婆，我已经数夜苦思不寝，怎样好呢？我现仍在坚持，专等先生的指示取决，请速回我一信，至盼至盼！

〔答〕综括林君的来信，最要急于解决的问题有两个：一是，“现在要不要决计辍学就事？”二是，“现在要不要体贴父母的意思，即行结婚？”林君最觉得痛心的也有两点：一是，“我自量我的终身便从此亡了！”二是，“我真对不住器重我的那位舅父啊！”我现在回答林君的话，请分作两部分。第一部分包括第一问题，兼及所举的两点；第二部分包括第二问题，也兼及所举的两点。

我对于第一问题，以为既然“其势不得不辍学”，同时林君的父亲又“已设法托人在银行里荐得一个位置”，似宜决计辍学就事，用不着多疑，倘若多疑迟延，就事的机会丢失，续学于经济能力又无可恃，那真是到了“进退两难的境地”。所以我劝林君对于第一问题，可以毅然决然这样解决。（林君在这种地方，或者想到半工半读的意思，则请参看最难解决的一个问题。）不过这样解决，林君或者又不免想起上面所说过的最痛心的两点。其实这两点完全没有根据，简直可以说是误会，既承林君不弃下问，所以我老实不客气，这样直率的奉告，现在让我先讲第一点。

我请问青年诸君，我们为什么要求学？做事是否便断绝求学的机会？对于第一问题，黄任之先生有几句话说：“人生必须服务，求学非以自娱。无论受教育至若何高度，总以其所学能应用社会，造福人群为贵，彼不务应用而专读书，无有是处。”对于第二问，黄先生也有几句话：“求学与习事，初非两橛。以实地工夫求学，以科学方法习事，互相印证，其乐无穷。”（详见《生活》二卷五期）总之我们求学本以“做事”为归宿。现在有些青年往往以“求学”为可贵，“做事”为可贱，好像一个人一生一世只要求学不做事便得，无论何人，只要仔细想一想，没有不知道这是大大的误会。而林君竟说因要做事而至于“终身便从此亡了”！未免过于看轻做事了！我读林君的信，敢说林君必是一个有志的青年，想必不至于此，或者林君以为做事固所愿，但是现在学未成而做事，未免耽误前途，如果这样想，未尝没有理由。但是我们要晓得人们事业的进展，本有两条路：一条是境遇比较顺利的人走的，就是一直升学，等到大学学业或专门学业完成的时候，（其实学业那里有完成的时候，这里不过指毕业，告一段落罢了。）到社会上去做事。还有一条路是境遇比较差一点的人走的。就是因特别原因而不能一直升学，半途先做事，一面做事，一面增进自己的知识能力经验。这两条路比较起来，第一条路容易走些，第二条路难走些，但是照我们所耳闻目见的，不但走第二条路的人成功之后，与走第一条路丝毫无异；而且成功的反而比较的多。第一条路是可以达到成功的；第二条路也是可以达到成功的，决不是“此路不通”的死路。（无论走那一条路，能否达到成功，都在乎走的人怎样。）这样看起来，因不得已而提早做事，并非没有成功的希望，也并非没有求学的希望，更断断不至断送了终身，林君倘若明白这个道理，与林君处境相似的青年倘若明白这个道理，便不至悲观。一个人的心理作用最厉害，过甚的悲观反是失败的根源，切须注意。第一点既经说明，第二点也迎刃而解了。因为既未断绝成功之希望，林君只须尽个人的力量，在自己能力范围之内力求发达，做成一个成功的人，他的舅父必“含笑九京”[1]，何至于对不住呢？

以上所说的是第一问题。现在请再简单的商榷第二问题——应否即行结婚的问题，对于这个问题，我极力劝林君坚持到底。初入银行，位置略低，薪结略小，不足为病，但是经济窘迫的时候，加上家累，无异加上手镣脚铐，精神与物质方面都陷入苦境，便难于再求进步了。这样一来，真难免“终身亡了”！“对不住……那位舅父了”！况且林君不过十八岁，决不是婚姻不可再延的年龄。

[1] 九京：犹九泉，指地下。——编者注

第二编　职　业

不能两全

吴晓晨

在过去的数年，中国出版界实在太沉闷，没有新的计划，来适应这个畸形的社会，所以更谈不到解救烦闷时期青年的垂危，还喜《生活》在千挣万扎中，不怕环境的暗示，不怕暴力的摧残，在这怪浊的空气中，能如一盏孤灯，虽是风狂雨暴，自身的安危，还不能说永久可以保持，而为大众谋福利的精神，已值得我们的钦佩和崇拜。《生活》既是青年的导师，现在国难这样的深而且迫，政府又无积极的办法，影响于青年的前途很大，而一个极重要的问题，尚没有见过讨论，所以特提出来谈谈，想先生一定可以允许我这个要求。

因社会经济的衰落，生活程度的提高，子弟的教育，发生了重大困难。不讲他是否正在培育的当儿，一朝谋得了喫饭的地方，就忍令他抛弃学校生活，到社会上去自寻生路，资格的深浅，可以不讲，就是小学教育尚未完毕，也算不了一回事的；或者资质聪颖的子弟，应受高等的教育，大家虽同有这个思想，可是因着环境的束缚，比不兑现的支票还觉得虚浮而没有实际。但是正在迈步向前的青年，虽经着无端打击，非但不能遏止他求知欲的追求，反而觉得社会的黑暗。因商学的阶段不同，以血气方刚的青年，处暮气沉沉的环境，当然是同水火的不能相容相济，更没法免除动辄得咎，因此引起青年的愤怒，对自己所处的地位，发生怀疑，感到所作非所学，或以自己的性情，决不是在商场里溷迹的一个，以此自动辞职。这是近几年来社会上很普遍的现象，而一般的言论，却又是高调的居多，大概均是这样说：有理智的子弟，他既近情于读书，自然在可能范围内，不要打断求学机会，既是天赋他聪敏的资质，要削足就履般来受这特殊环境的支配，楚才晋用，那是不可能的。言虽如此，然而我们该知道，衣食是重于一切的一切，因着生活的压迫，又那里能周全教育？所以在社会制度没有根本改造以前，认金钱为生命泉源的今日，虽感觉到畸形社会的腐败，但也不能不暂时隐忍，若是一踏进商店的门槛，在没有深刻认识以前，徒以一时感情的兴奋，觉得志趣不合，便急不及待的自行告退，这完全是意志薄弱的表现，将有关一生幸福的大事，视同儿戏，以我的观察，约得下列的感想。

即使子弟不愿在商店里立足，家庭的力量能够允许他求学的话，但在不久的将来，也须谋到一个出路，并不是读书可以终其一生的，然而人浮于事的今日——尤其是大脚力大资本笼罩下的今日，我侪穷苦无告的小民，那里能随心所欲，得一个美满的位置。任你是具十二万分热诚，要知这个畸形社会所需要的，并不是具有高深学问的学者，乃是大脚力大资本的夹袋中人物，有没有真才和实学，是可以不讲的，所以没有职业的留学生和大学毕业生在社会上到处可以看见，这虽是社会的病态，我们既是这个时候的过程者，应当随大众的后尘而加以奋斗，决不是飘然远引所可补救的。

世乱年荒的今日，失业的一年多似一年，社会的凋蔽已到了极点，谋一个职业已觉得非常的不易，父母令子弟中途弃学就商，当然是不得已的事，但同得也具着满腔热望，为人子的应当力求奋勉，来安慰他的父母，也就是造福自己的将来，岂可不知利害，轻举妄动，凭一个人不健的思想，毫不犹豫地决定商店之无可留恋，离开这以自己力量营养自己的阵线；事实是这样：起初的确痛快，不觉得什么不便，等到觉悟的时候，要再度寻觅职业，就发生万分困难。

然而教育也是极重要的事，尤其是我辈没有大力可依的小民，若是真的没有薄技浅识，除了饿死，简直没有别的路可走。大学教育既是资产阶级独有的园地，大规模有组织的商店，又非得有大势力者推毂所可希冀，那么奄无生气的小民，只有在狭小的商店中插足。不要说一早到晚没有空余的时间可以研究学问，而什么补习夜校，更是谈不到的。教育和职业，不能两全，确是目今社会上一个极重要的问题。不知先生的见解以为怎样？

二一，十二，十九。

〔按〕吴先生的这封信，很可以表现大多数穷苦家长和穷苦子弟对于“教育和职业不能两全”的苦衷。关于这个问题的解决，似乎不外两个方式，一是彻底的解决，那只有到“社会制度根本改造”以后才有可能性；一是迁就环境的暂时的办法，那只有就各个人的可能范围内，分别求得比较认为最大限度的结果。关于第一种方式，很显然的，不平等的经济制度之打破，不平等的教育制度之推翻，不平等的社会制度之铲除，而代以平等的经济，教育，社会制度，这都是和这个社会的改造发生密切的关联，势不能由一二或少数私人所能于急促间完成的。除此彻底的方式之外，只有第二种的方式可供酌采了，能勉强入校求学的入校求学——或由家人相助筹划，或由本人寻得工读机会——无从勉强入校求学而又不能把耗费白米的嘴巴暂搁不用，只有寻业。能寻得合于本人心意兴趣的业，固属幸事；否则只得暂时栖止，同时注意于自己能力的逐渐增进与较佳的相当机会之利用。如并此而不可能，即虽肯如此刻苦努力而在社会方面仍是报以“此路不通”，这种现象如仅占社会中极小部分，仅闻嗟叹愤慨不平之声，等到陷入此境者日多，则社会中所蕴蓄的无可忍耐的不平的意识愈广且锐，那便是种下革命种子，客观各条件具备之后，旧社会之崩溃有如摧枯拉朽，新社会之勃兴便似怒涛狂澜之沛然莫之能御了。在这种状况之下，求学与就业的难问题，便不是少数人的问题，也不是少数人所能求到彻底解决的问题，乃是社会的问题，须从总解决中求得附属问题的解决了。

以上一段话是对于吴先生所提出的问题作概观的答复。此外对于吴先生的来信，还想撮几点出来谈谈：(一)吴先生说“在社会制度没有根本改造以前，认金钱为生命泉源的今日，虽感觉到畸形社会的腐败，但也不能不暂时隐忍”，此处“暂时”二字，非常重要，愚意以为此处所谓“暂时隐忍”，决不可含有劝人甘心屈伏于不平等的社会制度而任其延续其生命，须使人彻底认识“畸形社会”之所由来与革命的正确对象。不过革命的进程非经过一段时期不可，在此时期中所以不能不依实际情形而“暂时隐忍”者，乃在积极的准备，或依本人能力而仅能作相当的一部分的暗中参加，决非消极的颓废。(二)“我们既是这个时候的过程者，应当随大众的后尘而加以奋斗，决不是飘然远引所能补救的”，这几句真是给予我们以正确态度的话。我们要特别注意“大众”和“奋斗”两个名词。（三）在“畸形社会”制度之下，不但“商店”，有许多职业都不能有什么可以供人“留恋”之所在，不过未得可以“留恋”的职务以前，既不能悬空起来，除在可能范围力求避免外，不得已不“暂时隐忍”，可是不必劝人“留恋”。

编者

萦回脑际已有半年的问题

蒋　一

我虽对于贵刊成了一个知己已半年，见了不少读者询问的信札和您诚恳的答复；但是从未见关于谈到萦回我脑际已有半年之久而至今仍未解决的难题，今天星期日，特抽暇写在后面，望您给我一个满意的答复，不胜幸甚。

我心中常抱着“有实力本事才有饭吃”的主义，“有真正学问才可立足于社会”的思想，但是不幸从近一二年的经验告诉我，“有了本领并非就有饭吃”，反是“没有本领也足以衣食饱暖，或者比有本领的来得好”，“有了学问并非就可以发展自己的怀抱”，反是“没有学问的倒比有学问的发展得快”。我不妨举几个例子来说。我同班有几位学友，他们程度差不多，——初中毕业。

Y 君在某外国银行当写字（Clerk），月俸三十六两银子。K 君也在外国银行当写字，并且比 Y 君资格老，虽不是同行，却也有二十五两一月。至于 C 君呢，说来很可怜！在某洋行当练习生，忙得不亦乐乎，半年只有二十个大银饼。并且他口才又好，比 Y，K 两位本领高强得多。同时 Y 君告诉我说："读书没有用的，我的地位只要初小毕业已够了。虽则名义上是外人开设的银行，非精通洋文不可。早知如此我高小和初中的光阴真多抛弃了。否则，现在也许有了六十两银子一月，因为前两年加俸很快而多……"他愤慨的态度，我只有一笑付之。K 君呢？也如此说法。C 君则劝我不必再读，因为学非所用，并且叹自己的命运不济，当想到 Y 和 K 比他优美的地位。我虽不为所动，但很信任他们说的话，后来注意他们的实际情形，结果不得不根本推翻我从前"有实力本事才有饭吃"的主义。至少也不得不从信仰而至于怀疑了。我并非以金钱作人生的标准，也不表同情于 Y，K，C 三位以金钱为原则，不过觉得现在教育的腐败，学非所用，并且替天下不得已的同胞抱不平而已。

从此我常由怀疑而彷徨起来，心中忐忑不定，觉得读的书不如前日之津津有味的那样用心研究了。

十八，四。

〔答〕在政治未上轨道，社会事业未上轨道的国家，怀才不遇或“撒烂污”反而得意的事情当然不能免。但是真正的事业终须真正的人才才担当得起。蒋君所举的例是“只要初小毕业已够”的“银行写字”，如果一个人所抱的志向只要做到“银行写字”就心满意足，不希望还有什么前途，那他尽管“只要初小毕业已够”了。但试问社会上正当的专门高等职业，如做律师或法官，总要研究过一番法律，若随便拉一个人坐上他的位置，行吗？如做医生的，总要研究过一番医学，若随便拉一个人坐上他的位置，行吗？如做工程师的，总要研究过他范围内的专门知识，若随便拉一个来代他，行吗？如当教员的，对于他所教的科目，总要有相当的研究，若随便拉一个人来代他，行吗？诸如此类，不胜枚举。所以我们以为蒋君所举的例似不应推翻他从前的信心。有真正本领的人能否飞黄腾达，也许有一部分要看机会，但是我们从来没有见过有真正本领的人会至饿死。

还有一点我们要明白的，在学校里得的知识，不过是一个基础，入社会后还须加上一番经验阅历，所以就是大学毕业，并不能一入社会开始任事，就立刻可将大学里所学的东西，一齐都用得着，一遇不能立刻用得着，就说是白学的；要知道还有应用的机会在后面，不要性急，等你经验渐深，位置渐高，所经手的事渐渐重要，从前未用着的较深知识就渐渐的用得着了。

况且我们做人只能“尽其在我”。譬如当我们在修学的时候，将来做事机会的有无，不是我们自己此时所能作主的，我们此时所能自己作主的是在学识上有充分的准备，以待机会，以利用遇着的机会。我们此时所能自主的只能如此，就只有在此点“尽其在我”，其余瞎悲观，都是徒然消耗精力于无用之地的事情。就是说有了学识还不免有艰于求事之难，难道一无学识的人就保得定必有好事情请他去做吗？这样一想，便明白在准备学识的时代还是以认真准备为正当的办法。譬如有两个人，出校后得同一的机会（即同有人提拔他们），试问一个在从前没有充分准备的人，能比从前已有充分准备的人更能胜任愉快吗？此时仍是有充分准备的人占便宜的，所以在修学时代有充分的准备总是不错的。况且在修学时代，自己可以作得主的，也只有积极的从事充分的准备。

岂但修学，我们无论做什么事，都只有“尽其在我”。即如蒋君要求我们给他“一个满意的答复”，我们那里敢说这篇答复他一定能满意，也只有尽我们所想得到的，“尽其在我”的答复他罢了。我们无论何时，无论何事，倘抱定“尽其在我”的宗旨，欣欣然向前干去，可以省却许多烦恼。

编者

吃尽资格的苦

朱逸民

我读了贵刊四卷第八期“读者信箱”栏里涂小甫君所做的《大学毕业生》一文，觉得非常切要。社会上感受这种痛苦的人当然不少，我是感受这种痛苦很深切的一人，所以我不免要借此发几句牢骚的话。我可以说现在的人，只要有财产，能够进中学，而大学，或师范毕业出来的人，个个是人才。没有财产的人，不能进高深学校，那是永远不会是人才。现在的社会何等势利！商界我不熟悉。至于各行政机关及教育界，非资格不行。倘然是一个大学毕业生，要谋一件事，不论他有才没有才，对于事的会办不会办，人家总是一诺无辞。若是一个小学毕业生，或是连小学未入过的人，无论他办事如何切实，学力如何充分，要向人家谋事，人家连正眼都不来看你，纵然有一些事给你做，也不过是些书记庶务之类。我不是说书记庶务不屑做，可是克尽厥职的做，人家总认你是一个小鬼，不加青眼，而且是一朝天子一朝臣，等到一个校长或局长走时，就要连带解职，即使有飞天本领，用到那里去呢？涂君所说的“……若再老实说：我是小学毕业的，慢说被求的不来录用，他不说你再去读二年书，再来做事，已算是客气的了”这几句话，的确是现在势利社会的通病。先生所说的：“……他人岂因此而轻视他吗？断无此理。”先生！你是贤达君子，所以不会如此，岂知社会上都是庸碌之徒，有几个人能这样实事求是呢？其中有多少才能之士，因资格而终身埋没，那是何等可叹啊！我虽没有才能，但也吃尽资格的苦。我自小学毕业后，没有财力升学，遂从名师专习国文。自信办公能耐劳勤奋，遇事能忍辱负重。然而因无资格，并且不善逢迎之术，虽曾一度在教育行政机关办过几年事，现在因连带的关系而去职家居了。那里能容你持久，发展才能呢？我是乡间的人，在乡言乡，乡间地方辽阔，学校稀少，能进初级小学的，已为幸事，有财力可升高级小学，更属希罕，那里能再想到中学大学呢？所以有不少真有才能的人，连一些书记庶务的事也没有机会弄到，还能希望其他的成功么？我所以说：只有有财力能入中学大学的人，个个可以称人才；没有财力升学的人，虽有真才实学，也不算人才。所以我说资格要紧，实在本领还在其次。先生以为如何？

十八，三。

〔答〕社会是多方面的，一类的事实也有多方面的，像朱君所慨叹的社会上盲目的只重资格而不重“真才实学”，我们当然承认目前的中国确有一部分不免有这种不平的现象，就是编者个人闻见所及，也就不少。例如我国很著名的书业某机关，里面对于编辑员就很有这种趋势，中学不必说，你在国内大学毕业的，至多每月送你七八十元至一百二三十元，只要你挂了一块留学生的招牌，做的事情尽管一样，起码一百六十元。我有一位好朋友，可说是学贯中西，在那里面做了好几年，因为缺了一块留学招牌，做来做去还是一百二十元，眼看许多“饭桶”留学生（这是只指“饭桶”的一派，当然也有好的）。坐享厚薪，做出来的东西，往往狗屁不通！有一次有一位什么德国留学生，做了一本游记，简直别字连篇，文笔疙瘩到了极点，因为来路大，该机关的编辑主持者不便拒绝，交给我这位朋友校订，被他修改了十之六七，修词方面差不多是他完全代做。他费了一番工夫，在书末著作者姓名旁边把自己校订的名义加了进去。后来这本书出版的时候，只有著者的姓名，并没有校订者的姓名，无非是因为校订者的牌子似乎不及那位写别字的朋友牌子“硬”，所以“白校订”，让那位写别字的大佬好“掠人之美”，在主持者也视为极公平的事情！后来这位朋友靠他的“真才实学”，另有好机会，便辞职高就。社会上往往有同样的事情，叫留学生来做，给他一种特别好的待遇；叫国内大学毕业生来做，便给他一种差些的待遇；如叫连大学牌子都没有的人来做，又要给他一种更差些的待遇。他们并不以事为对象，却以空资格为对象，这当然是很不公平的待遇。所以朱君的“牢骚”，我们不能说他完全是“无病呻吟”。

我在上面所说的话，不过助朱君张目吐气。但平心静气想一想，这种现象不过是局部的，并不是概括的。

其实，我们虽反对徒拥虚名的资格，而确有实际的资格却也未尝不可重视。倘若不是有名无实，则中学毕业者的学识能力，因研究的年数比较的多几年，当然应该比小学毕业者好些；大学毕业者的学识能力，因研究的年数比较的又多几年，当然应该比中学毕业者更好些；留学毕业者的学识能力，因国外学校设备之比较的完备，教授程度之比较的高明，当然应该比国内毕业者更要好些。所以我们倘有了名实相符的一个条件，有的事情，确须留学生而非国内大学生所能胜任者，（这当然是目前的情形，将来国内教育精进之后，便不至如此。）尤其是高等专门的学术；有的事情，确须大学程度而非中学生所能胜任者；有的事情，确须中学生而非小学生所能胜任者。不过这种实际的资格，有的地方不一定要取得学校的牌子，或衔头，也可以由自修，由在社会上从小做起，便做便学，经过若干年后，有相当实际的经验阅历，因而造成专门的学识才能，获得实际的资格。朱君所引在下答涂君的话："……他人岂因此（指仅小学毕业）而轻视他吗？断无是理。"我的意思并不是仅仅小学毕业便可以引起别人的重视，是说不以小学毕业自封，能奋斗向上努力，得到相当的学识能力，做他所做的事情，到了这个时候，决没有因为他从前不过是小学毕业而轻视他，而且还要特别的敬重他。我们前次答复涂君的一番话，因为涂君既无力升学，又以资格为虑，似乎资格非由升学是绝对得不到的。我们就他所处境地，告诉他名实相符的资格也可由服务及同时自修而渐积成功的，只须有实际的能力，别人决不至轻视他。我们的向上努力，向上奋斗，势不得不从自己所处的境地做出发点，既无力升学，便须另走一条可通的路向前干。

“搭架子”与“触霉头”

吴文浩

试观世界上压迫者与被压迫者，触目皆是。压迫者势日蔓延；被压迫者生活愈困，殊可非也。言其小者，则同服务于一机关，先进者较后来者势大，同一服务而有高卑之区别，位卑者因此而受位高者之压迫。夫人之得安适生活，精神快乐为上；被压迫者即减少精神上之快乐；减少精神快乐，即困苦之生活也。余目击心伤，特记之以告先生，夫知可得一良好之解决办法否？

〔按〕初入一个机关做事的人，其中老同事对于他往往有“像煞有介事”的“令人难堪”的“臭架子”，最为讨厌，怪不得吴君要“目击心伤”。讲到良好的解决办法，虽然要看特殊的情形，不能找出一瓶“万应如意油”，但是大概也有一点意思可以说一说。这类事情的当局可以分作两方面：用上海话来说，一方面是“搭架子”的人；一方面是“触霉头”的人。用普通话来说，一方面是“排架子”的人，一方面是“倒霉”的人。我们对于搭架子的人当然要奉劝他们说，世界上的学识经验是无穷的，世界上人的本领大了还有大的，平心静气想一想，实在没有什么架子可搭！做一个人，要人敬重呢，还是要人看不起？当然是要人敬重。搭起架子，无论什么人都要看他不起！这样说来，搭架子的人不但是天下最卑鄙龌龊的人，而且是天下至愚极蠢的一位“憨大”，我们这样劝，搭架子的人能听最好，如不肯听，我们当然也没有法子。所以我要转过来替触霉头的人想一个法子。我以为触霉头的人在这种地方要用一点反省的工夫。不可轻举妄动的对搭架子，对闹脾气，倘若如此，触了霉头，还不免也做一个憨大。因为总是硬他不过，就是发脾气不干，也还不能算胜利。不过怎样反省呢？就是初做事的人，大概样样都不大懂；就是懂了一点，也不免手忙脚乱，或是憨头憨脑；再不然，或是做得太慢。总之难免有一点“阿木林”的色彩，此中也有一点令人讨厌的地方。此时唯一的方法，就是不必在意气上做工夫，且从心灵手敏上做工夫。做得有了效率，触霉头的机会便可减少，或竟至消灭。不过将来自己地位高了，或是自己做了老手了，却应当改良改良，不可“效尤”，也搭起臭架子，害得别人触霉头：倘若如此，终究还是一个憨大！

编者

女教员问题

胡瑞英

现在的女子是不能再像从前的女子一般的依人为生了，她们宜有一种相当永久的职业以自养。英虽受过中等教育，目下在小学校充当教员，不致闲居，但是这种职业于英终不相宜。一则所得薪金极微，每致入不敷出；二则秉性好静，对于校中生活每嫌吵杂，精神上时感痛苦；三则当教员不是一种永久职业，倘不继续研究各种新教法，数年之后必致淘汰。因此英每想在课余之暇，研究一种学问，另准备谋一种职业，不过英自己决不定究竟学医好呢，还是学画好，还是继续的研究各种新教法，仍旧做一个穷苦的小学教员？请先生为吾决定，并请说明理由。

八，十。

〔答〕自由和经济独立的能力很有密切的关系，所以胡女士说现有的女子宜有一种相当的职业，这是我们很表同意的。至于职业方面，男女固然应有同等的机会，不过像教员及医生一类的职业，确以女子为尤宜。胡女士现任小学校教员，原是一种很高尚的职业，至女士自举三种“不相宜”的原因，似乎理由不甚充分。第一原因是薪金微薄，这诚然是我国小学界的大缺憾，教育为建设事业的基本要务，而小学教育尤为教育中的基础，我们深望教育当局不久有优良待遇的实施。不过这一点并不足以证明女士之不宜于教育事业。第二原因“秉性好静”，正是宜于教育事业之德性。学校生活似较他种机关为幽静。说到第三原因，我们以为教员是一种永久的职业，至于须要“继续研究”的工夫，不但教育事业如此，就是其他事业，如有志求进步，都须要“继续研究”。我们的愚见，以为上述三个原因都不能作为女士不宜于教育事业的强有力的理由，以为女士要自己审慎研究对于教育是否觉得有趣味，是否心里喜欢做，是否性之所近。这一点解决之后，对于教育的取舍，才有几分把握，学医好呢，学画好呢，以及继续研究各种新教育法好呢，似乎也可以把上面所说的一点做参考。此外还可以找认得的学医的人或医生谈谈，或与研究美术的人谈谈，问问内容，也不无参考的价值。

编者

剩余的孩子

×××

这似乎是很唐突，我同先生素无一面之交，怎么就来下面这样一个要求呢？但，先生！人与人之间总发生着关系的，你老虽不知人世间还有我这个剩余的孩子，可是我对先生却早就怀着婴孩对慈母的希求哩！

我谢谢先生！请听我说来。

我是去年八月失业的——这是现社会的恩赐，也就是（？）我们出卖血汗的所应尽的“义务”！在这个被少数特殊人占有的现社会里，我们这样的一群是什么也没有的，什么也没有的呵！自失业以后，我就又重来过着我流浪的生活（我是两次失被三番飘泊的流浪汉了），流呀流的，到现在已整整六个多月了，在这一长串日子的飘流中，我曾流到了平汉路，两次到过武汉，又去到南昌，也曾回到了湖南（可是总没心归去），后又蹬在南京，而今又流浪到苏州，此后更不知何处了！在这些我所到的地方，我曾四面八方的钻谋过，可是五方十六路都是碰壁，更加上钉子。先生！偌大这么一个中国，怎么找不出卖力（脑力的体力的）的场所。这是怎么一个世界！怎么一个世界！

我来此地已一个多月了，在这个月来我都是过着油条烧饼的生活，可是这每日数个铜子，还是榨取自借贷读书的我的朋友：这于心何忍？但又有什么办法呢？

已往已是这样要死不活的过去了，可是后来真不知如何生活了！此地的朋友（仅有一个）实无法再负担了，而写给别处友人求救的信，到现时没一个有复的，家里又领不出钱来养我这个不争气（？）的孩子。那些没有"同情"的有钱人又不能白白地让我（我们一群）吃一顿饭。而最大困难的，还是老板的房租至今一个多月我一个子也没交上，他已于昨天叫来了警察，限十天交上，不然，就将薄被抵押，唉。过了十天，交不上钱，我将如何办呢？不住么？就是死尸也应有块地方放。站马路么？这么冷的天，还下着雨。住么？在这吃人脑子不嫌腥的现人类，这恐只有天允许！至于肚皮空着这更是自家的事了！唉！先生，这些这些，都逼着我加速度地往死的墓门口奔驰！可是我真的去死么？唉！我实在太年青了！太年青了！我是生气勃勃的呀！

先生！我要活！我要活！我就是作梁山泊上的伙伴也得活下去；因为造物者给了我以血红的生命，我当然有活的权力。可是……

先生！我跟你说，我是什么也没有的，一切生的条件都被人夺去了。有的只是一个将饿毙的生命，一副如果营养充足即有力的双腕及一个能思的脑子，因此我现在只需要有“工”作而得到面包！先生！问题就在这里。请你老为我解决，我是无论什么差使都愿意，如报馆书局里的校对或排字工人，机关或人的书记及工厂里的工人等。这些都是我现在求之不得的差使。请先生替我设法介绍。我谢谢你老！

先生！我一个月来从没吃过一餐饱饭，肚子实在饥得够受呀！现今身边光剩八毛钱。如果这八毛钱一完，我将怎样是好？唉！不可想的将来！

我敬爱的先生！我说的都是实情。如果有一句谎你老的，我就是没有嫁人的女人养的！请先生无论如何的搭救我。不要使一个生气勃勃的年青人白白地饿死！这是罪恶！

先生！我一想起你老，我才觉得有明天！我敬爱的先生。请你老一看在上帝的分上：带给我以光（Light）！

一口气写下来，就是这么一长串的字，请你老耐心点儿看下来，这里面有血与泪的交流，有整个青年阶级的痛苦，这人寰真不像样儿！

我连发一封信都不容易，请你老速回信给我。来示请寄 ×××××××××× 好了。肃此敬祝先生万福！

八，二二。

〔按〕我们常接到嘱托谋事的信，但写得激昂悲慨（普通为激昂慷慨，我想此处应将“慷”字换为“悲”字），像 ×× 先生这封由苏州寄来的信，殊不多见，我们认为这不仅是某某个人的问题，实在是一个异常严重的社会问题，所以一方面把我们的意思径复 ×× 先生，一方面把这封信公开刊布出来，借以唤起国人的注意。因为也许作者不愿显露他的姓名，所以用 ×× 来代替一下。

记者每接到这类的信，除对作者表无限的同情外，又感觉到无限的惭愧——惭愧自己的力量薄弱，不能有什么实力的协助，因为就现社会的状况之下，枝节的办法只有尽力介绍之一途，但社会的经济恐慌，百业萧条，既为客观的事实，人浮于事，成为普遍的现象，即有少数碰巧得到相当的机会，获得一个栖止的处所，但这既是大多数人的痛苦问题，决不是头痛医头，脚痛医脚，或甚至连医头医脚都无从下手的敷衍办法所能救济的。×× 先生写这封信，可以说是替许多失业的同胞！——“只求有工作”的同胞——作代言人，作严重的警告！

据上月在日内瓦所开的国际劳工特别会议里法国工人代表育奥所报告：谓全世界一万万七千万工人中，失业者已达三千万人，他又作严重的预言，谓“痛苦与失望，行将一旦引起爆发，结果如何，非所敢知”，我国人民生计向在自生自灭无人过问的情况中，绝无统计之可言，但就我们耳闻目睹，遍地惨象，我国凡事落后，这件事决不落后，殆可断言。世界的经济恐慌和失业问题，非社会制度有根本的改造，无从得到彻底的解决；

中国的经济恐慌和失业问题，非社会制度有根本的改造，也无从得到彻底的解决。这个问题不能得到相当的解决，社会是永远得不到安宁的。我国现在似乎不但不在力谋这个问题的解决，反而倒行逆施，力促这个惨象的深刻化，尖锐化，我们只有再引着育奥所说过的几句极严重的话："痛苦与失望，行将一旦引起爆发，结果如何，非所敢知！"

编者

第三编　社　交

过意不去

育　珍

我才是个十七岁的女子，对于异性的交接还是第一遭；但是我觉得男子是很奇怪的。他是我的朋友，这决不会错的，因为他也曾同我说过："你是我唯一的朋友！"我可以承认我们不能比普通的朋友；然而我们毕竟只是朋友罢了！

这天，我同我的朋友——他——一同出去散步。走到某商店，我忽想到我要买些东西。当我选定我所要买的东西的当儿，他已替我付去了代价。这时使我很过意不去；但想到朋友中的礼尚往来，也许是如此的，于是我便决意要请还他——请他看影戏——得了他的同意，便一同到影戏院去。

我俩到了影戏院，我便很迅速的开我的手皮夹。当我摸出五元的钞票时，他却已把他的钱换到了两张入座券，催着我进内去。啊！这使我更过意不去了！这本戏做的什么？我也没有知道；只是那“过意不去”四字占了我的脑中。不一会电灯亮了，影戏完了；我想不如由我请他吃些点心罢。

当我俩吃过点心，那侍役送上一只碟子，置在他面前。其中除了账单之外，还有角子和铜板，原来又是他还了钞。这真奇了！我同他只不过是朋友罢了，何以一而再，再而三的请我呢？

又看到我的同伴们：她们的男友也是如此代她们效力的。但她们是否也和我一般的存着过意不去的心，那我不得而知了，我的确知道她们很富，偏偏买东西要别人还钞。那些男子呢？他们的钱是不容易得来的，有的向友人借的，有的费了九牛二虎之力向家里索得来的，却很不在心的用在女子身上，那能不使我觉得男子奇怪呢？

最使我注意的，便是L女士。她的男友很多，她更毫不羞怯的向她的男友们索取；甚至她母亲用的眼药也是她的男友买的。最使我佩服的，便是她向一个初次相识的张君，要他买一付烫发的用具，而那个姓张的竟毫不敢迟延的买来送她。

别人的事我不去管他，无论如何，我总觉得奇怪，惭愧，和过意不去。不晓得他如此待我，我如此的白吃白用，怎样才可以使我报答他的盛意？

十二，四，一九三〇。

〔答〕交女朋友原是一件很耗费的事情——这是就实际情形说，应该如此与否是另一问题——不但在我国有如此现象，在男女交际最以自由著称的美国尤其有这种现象，请了女朋友出来，还要备车子亲自送她到她家里去，一切由男子挖腰包，车费当然也是由他挖出来的。这种行径的心理，说得好些是表示友谊上的殷勤，说得差些可说是献媚，说得再不堪些也可说是引人上钩的钩饵。至于属于那一种，当然要看你所交的朋友是那一类人——是诚实的朋友呢，还是有真心的求爱的人？还是只不过想引诱来玩玩，并无意保护你的将来，只不过把你看作满足他的兽欲的工具，如你的朋友是属于第一类人，你不至有危险；如属于第二类人，你也不至有危险；如属于第三类人，你便有很大的危险，避免之不暇，更何有于“报答他的盛意”？年龄幼小，经验幼稚的女子对于这种地方更要留意。法律规定二十岁以下的女子须受父母的保护，即有关于终身的婚姻，在此年龄以下的女子也必须征得父母同意而后始能成立，这也无非是寓着特殊周密保护的意旨，女子自己更应该负有保护自己的责任。

社会的讥评

方心贤

我现在有一个问题，不知你肯为我解答吗？很是盼望！

我是世界上一个最孤苦的独生女，既无姊妹，又鲜兄弟（有一兄在七年前死了），堂表的姊妹，又多在外埠，所以家中除了父母以外，只有我一人。我每日除了到校中读书以外，总是一人在房中看书，真是寂寞极了，尤其是到了星期六，星期日，纪念假日，暑寒两假，更寂寞得厉害。孤居在家中，固然寂寞，但是出外，更是无聊。（没有伴侣，同学有的因为性情不洽，有的多是住读，家庭多在外埠。）做事无人商量，切磋又乏人，我的生活真是失了人生兴趣，一无快感可寻，回想大哥在时，形影相随，互助互商的快乐，怎能不使人黯然泪下呢？

我父亲在去年将房屋的一部，租给人家（我家为两楼两底），自从他家迁来以后，固然热闹了不少，她（女主人）和我很善，可惜和我的嗜好太不相同了，她没有受过教育，免不了时下少奶奶的习气，欢喜打牌，逛游戏场，所以我的孤苦寂寞仍不能减少。

她有一个表弟，在本埠某洋行办事，每星期到她家来游玩，我因此也和他很熟，他与我的处境相同（他是独生子），性情也很投洽，我们常常谈谈国家大事，时局变迁，科学问题，有时下下棋，打打球，他常常携带各种书报给我（贵刊也是他每星期带来的），我自从死了哥哥以后，一直过那清孤的生活，到现在忽然遇见了他，引起我人生的兴趣，振复我萎靡的精神，正好像我亲爱的哥哥复活了一样，我当他如哥哥一样的待他，他也待我很好，我们因此从初交而进于友谊了。（我们都以礼相守，从未私自外出，总之都很天真自然的。）但是当此男女社交失败的时期，男女交友多为人所卑视，多所议论，而我们也不能逃出这个例子，冷言热嘲，私下讥评，时入耳鼓。他们多评论我们将来必蹈普通男女交友的结果（结婚），可是他已娶了妻子，并且有了儿女了，（不过这是他父母强迫的，他们性情又不和，所以他一直不回家。）这事如其实行，不是有亏伦理道德，有损我个人的人格吗？况且男女交友的目的，是在于交换知识，互究学问，不是专在结婚的，我恐怕他误会，所以对他讲明男女交友的目的，意义，态度，并且我们的交情，务使在友谊一方面进行，切勿误入恋爱以致将来的失败，幸而都得了他的同意，所以我们仍照旧下去了。

我们虽然正大光明，洁白无疵，可是欢喜议论人事的浅陋的人，焉能明白我们的志愿呢？讥评嘲辱，乘隙攻击，真使我难受！柔弱的我，如何能和它抵抗呢？因此近时每逢他来，我终是坐在房中不出，言语也不和他讲，因为若讲起我们的兴头，就要津津有味，谈个不休，不能自止，以致引起人们的妒忌，而遭讥笑（尤以他的表姊为甚）。但是他是每星期来的，有时隔二三日即来，我们又住在一起，叫我如何能避得了呢？他有时来招呼我，又如何能自高自傲的不去应他呢？这真叫我难死了！我还是应当和他疏而远之，以免社会的讥评呢，还是应当和社会奋斗，而继续我们的友谊？（如其疏远，先生当知我是一个孤独无伴的人，如其奋斗，不知将来对于我前途的名誉有怎样的影响？）（以上种种，我父母都未与闻。）

慈悲的先生，你肯为我解答这个问题吗？感谢得很。现在附上邮票一分，请先生即从邮局回答我。

十八，七，二七。

〔答〕方女士这封信原有真名及通讯地址，因为她只希望我们由邮径复的。但我们以为此事有公开的价值，现在就改用假名字，在本刊上答复。

（一）方女士的心胸光明磊落，这是读她这封信的人所都看得出的。"社会的讥评"不一定是公正的，我们做事只须合于理性，对得住良知，"社会的讥评"原不必怎样重视。但就方女士来信所说的情形，平心静气的考虑一下，我们觉得她和那位"表弟"如一直照从前那样亲密下去，将来确有陷入情网的危险性——而且我们觉得这种危险性很浓厚。在方女士目前的忠实心理，诚然只当"他"做自己的"大哥"，一点不杂以恋爱的意味，而在"他"方面，也许在目前是真心同意于她的"讲明"，只做兄妹而"切勿误入恋爱以致将来的失败"；

但就女士和“他”彼此所处的实际环境言，女士和“他”虽不能称为“旷夫怨女”，可是女士处于那样“寂寞极了”的环境，只交得一个异性朋友，（如异性朋友多了，危险性当然可以减少。）又是“性情投洽”，能“引起”她的“人生兴趣”和“振复”她的“萎靡精神”的异性朋友，在“他”所已娶的妻子又是出于“他父母强迫的”，“性情又不和”，“他一直不回家”。彼此在这种实际环境之下，如再一直的亲密下去，虽在目前仅“在友谊一方面进行”，渐渐的必出于不能自主的，不知不觉的，无可奈何的，钻入情网里面去。这是我们平心静气就事实考虑的推论，深信是很可准确的。简而言之，我们虽深信女士目前的心理实是不愿“误入恋爱”，又假定“他”的目前心理也如此，但就两方所处的特殊环境言，如再照从前那样亲密下去，必定要终于陷入情网的，这是人生的神秘作用，到了那时，不能让你自主的。

（二）也许有人以为这样看来，异性不应该做朋友吗？做了朋友便有陷入情网的危险性吗？这当然是不对的，我们向来主张正当的社交公开，上段云云，是专就方女士和“他”所处的特殊环境言，并不是说凡是异性朋友的都有这样的危险性。即就男女社交比较公开的西洋各国言，男女两方的异性朋友多的时候固无问题，但减到一个而特别亲密的时候，也要引起旁人的注意，也要跑入这条路上的。所以美国费勒思女士（Ruth L. Fraser）谈起欧美男女社交问题，曾经告诉我们："在女子（指未婚女子）认识了许多男子之后又怎样呢？英国有句土话说：'人多了，稳当些。'女子如有好多朋友，就是她的母亲也不会担忧到她的结婚问题，除非她的男友逐渐的减少，一直少到只剩了一个的时候。等到只有一个男友，且时常来探望的时候，旁观的人就要想到他们是快要走到结婚的路上去了。在她还不愿别人想他们是要结婚的时候，她一定不肯让特殊的一个男子常常来看她。就是在男子一方面，除非他真想和她结婚，也不肯时常去看一个女子，以致引起别人的疑窦，因为关系太密切时，总免不了有许多无谓的讥议。"

（三）照方女士和那位邻居"表弟"那样情投意合，倘在寻常的情形，我们当然要希望"有情人都成眷属"，但他已娶了妻子，并且"有了儿女了"，此事便很复杂。在外国女子能力比较充足，社会观念比较的开通，离婚的女子仍能自立于社会，仍有择配的机会，那么离婚是比较的可以减少困难，在我国目前离婚女子牺牲太大，倘非万不得已，似应竭力避免。况且方女士还未到非他不嫁的程度，为女士自身的前途幸福顺利计，似乎还是不要卷入漩涡而另行物色的好。

（四）至于女士应否和“他”绝交？那却不必。照来信看，“他”的行为端正，并无诱惑的手段，应是一个良友，所以不必有意“不和他讲”，不过不必“谈个不休”；家里人既多，在众人前尽可很自然的一视同仁的周旋，不过不必对“他”特别亲密，不必单独两人常在一起。否则就中国的实际情形言，对于女士“前途的名誉”似难免有不良的“影响”。

（五）我们觉得学校是交友最好的地方，今以女士如此贤淑，竟在同学中未得到一二知己以慰寂寞，颇以为异。这也许是女士取友过于严格，要样样比自己好。其实人各有所长，亦各有所短。我们取友，只要他们是正派，人格高尚，其余只要取其有一二益我的优点，不必样样都要比我好，有可原谅的地方便加以原谅，便不至绝对的交不到朋友。就是住读的同学，走读的学生也可以和她们聚聚谈谈。我屡见由同学的介绍而获得如意郎君的。或为她们的弟兄亲戚，或为她们的未婚夫的好友。这虽不可必的事情，但是未尝不可多一种可能的机遇。学友是有许多益处的，也应当加以注意。

快跟牢前面一辆女子的车子

张冰洁

久久怀疑着的一件事，要费神教导。我是生长在世代清高人家的女子，家教严紧，就是父亲叔父们的朋友来了，我也不能在客堂里，一定要避开。由小的习惯，竟刻得很深；四年前离了家乡，来上海男女同学的中学求学，（校长和叔父至友，所以我会去，）在校中从来不曾和男同学们谈一句话，他们有时高声叫我，我也不应，因此背后出名叫我古怪。现在离校许久，每想到以前，不时要笑我自己。今因处境的关系，没有同学同伴，（以前的女同学，都各处一方，不过时常通信，有时晤叙。）外出行走，常是一个人往返，十有七八次，有人在背后劳驾，嘴里噜噜苏苏的说话，一直会送到我门口为止。他们竟会很远的路跟着；我始终报以不理，面若冰霜，我知道繁杂的上海多轻浮少年，要做成高尚纯洁的女子，不得不假痴假呆似聋似哑的处处小心。每一月中，也有二三个星期日，和我从前的同学到影戏院去看看影戏，时常有人写了地址姓名放在我的坐位旁边。这已不足为奇。并常能听到他们自言自语道："女士！你怎的只是不响，处此男女平等，社交公开，欧风东来的中国现在社会，很平常的事，我不过希望和你做文墨上的朋友。"上星期日我和李女士二人同到北京影戏院，坐在我右边一位西装少年，又是如此了，他好似知道我英文不十分懂，每一幕滑稽片上的英文，他必说了中文；临行时，我和李女士分离了，坐上人力车回寓，只听得后面说道："快跟牢前面一辆女子的车子！"不停的在车子上说话；倘使他没有听得我和李女士讲话，一定以为我是一个哑子。他并写了一张纸给我，上面写了名字地址电话号数；我很不愿人家送到我门口，听他的说话，还不轻薄，我坐在人力车上也就破题儿第一次答复："不必劳驾，无暇。"他很快活的说，那么请你写信给我，并且付了二角车钱给拉我车的车夫。哎！使我为难极了！我很不愿和一个完全不认识的人讲话，这车费，于心一定要还他，虽则区区之数，我很不喜欢有此举，但是他的车退回了，我的车向前进了，先生！请你教我，要用什么法子才能免掉这种为难？我面若严父，生平不喜装饰，又不美丽，为什么时常有这种遭遇？怀疑得很！理想中他们对一个完全不认识的女子的我，有这种行为，他们对于无论那个女子都会如此。倘使真是一个高尚纯正，热心有道者，能增进我的学识，研究英文，那是求之不得；但是，在我理想中始终不能相信在完全不相识的人中有这样一个良师，不过很怀疑，所以很诚恳的请求指教。

十八，六，四。

〔答〕我们以为女子交友，尤其是异性的友，倘非深知对方的品性及家族的详细情形，以勿亲近为稳妥；非经可靠的亲戚朋友介绍，以勿认识或谈话为稳妥。像张女士所举的例，简直是上海人所谓“钉梢”的无耻卑劣行为，宜严防，决勿上当。女士说“听他的说话还不轻薄”，以为也许“真是一个高尚纯正，热心有道者”，其实不然。他看见女士“面若严父”，知道女士是正派的女子，不易用轻邪的手段引诱，便假正经的那样做，正是他手段之阴险，不可上他的当。我们深信“高尚纯正”的人决不肯做那样“钉梢”的无耻卑劣行为。

就在西洋，好好人家的女子，交异性朋友也须先有亲友介绍，也以戏场公园自己瞎认得为可耻，而在中国的无耻男子却以“欧风东来”自掩其丑！法国女杰罗兰夫人临终时候有几句很沉痛的话说：“呜呼！自由自由！天下古今几多之罪过，假汝之名以行！”如今假“欧风”以行的罪恶也何可胜数！

女士问：“要用什么法子才能免掉这种为难？”（一）我们以为最好能有年岁较长的长辈如母亲之类同行，法国以浪漫闻于世，乃据秦国献君（屡有特约通讯登本刊）最近由法来信说，法国的良家女子出门的时候总是和母亲一起出去的。（二）如有可靠的男友同往也可以。在西洋做男子的对于女友一同出游，负有卫护的责任，叫做 escort。陪出去的时候要先得女子父母的同意，时间不得过晚，而且最后还要亲自陪送她到她家里，才可分别。这种较良的习俗，我国人注意者寥寥，却以“欧风”自掩其“钉梢”之丑态，真令人齿冷！（三）如有女友作伴，人数能略多更佳，也未尝不可，惟不宜于晚间走经偏僻之地，而且如遇着“轻浮少年”之诱惑，要始终“报以不理”，俾免上当。

丑态百出

詹季成

我有一位亲戚Y女士，向来是住在文化先进地的上海，所以她的脑子随着潮流弄得很新，从前曾经毕业于某助产学校，当时因为寻不到相当医院，并且又因家庭关系，不能使她再继续求高深学术，故辍学以来闲居家中，终日与书报为伍，未曾稍离父母一步，这样已经有一年半的功夫了；在这个期内，她的父母倒不觉得怎样，可是她自己实在感到这样下去，决不是现代女子所应有的态度，所以到了今年上学期，力向父母反抗，才得向外谋到一个小学教师；这个事情，在她看起来已经算是满意极了，所以她对于教育一般小学生很肯负责，并且教授法也很圆妙，听说一时博得全校同事所赞美！但不料好事多磨，同事中有一个人面兽心的某君，羡她稍具姿色，竟向她大试其“吊膀”手段，擅自走入她的房里，跪向她求爱，并且当时丑态百出，拼命要求她和他接吻一次，这种举动，在他以为是男性追逐女性的一种应有态度，并不觉得什么羞耻，可是，在这位未懂学校内幕的Y女士，看到这种下流举动，倒弄得手足失措，无以对答，不得已忙向房外奔出，到校长及教务主任处诉告前情，希望惩罚那个无耻之徒就算了；那晓得这两位先生反不加以处置，竟看得这件事是很平淡的，并且还回答她一句：“这有什么要紧呢！”所以这样一来，竟弄得我的那位亲戚Y女士哭笑不得，不能继续下去，于是不得已向学校暂时称病告假，回家来告诉父母，恰巧这时候，我也因春假时期，学校放假，耽搁在她那边。所以她除对她的父母说过外，又暗暗地对我说：“我前次因为觉得家庭不好，才提出抗议，向社会谋事，但是现在竟出了这种不堪外扬的丑事，实在使我完全失望！岂不叫我灰心！痛心！因此我在这进退维谷之际，不得不面恳你，请你代为设法一下。究竟还是以后仍向学校销假去继续教书呢，还是就此脱离学校，仍闲居家中呢？不过，我为自己在将来的生计问题着想，非现在先求经济独立不可……”我特函恳先生想一个好方法来解决她的困难。

十九，四，十四。

〔答〕在中国目前新旧过渡的时代，每有人自以为是新派而实在是荒谬绝伦派！依这种荒谬绝伦派的观念，以为做新女子的人便须随便给他们接吻，甚至随便和他们干无耻的勾当，否则他们便讥为思想落伍。他们是顶着一个“新”字招牌来发挥他们的兽性，这是畜生干的，不是人干的！教师负指导青年的责任，而詹君提起的这个“小学”竟容了几只畜生（即“某君”和那“两位先生”），这种残贼教育的恶魔，社会非加以严厉的制裁不可。

男女社交公开，诚然是文明进化的社会里应有的现象，但做朋友必须彼此知道尊重彼此的人格与意志，如果有异性两人由长期朋友而交谊日厚以达于恋爱的境域，彼此皆未婚娶而各出于自愿以成终身伴侣之约，“接吻”也许是心灵融合的神圣表现，并无所谓丑态。倘若仅属泛泛之交的同事，便“擅自走入她的房里……拼命要求和她接吻一次”，这却是兽性的表现，是畜生的行为，我们应该群起唾弃。

为Y女士的前途幸福计，我极端反对她再到上面所说的那个“兽窟”里去，应另行寻觅其他相当的就业机会。我认为此事应毅然决然的如此实行，无所用其迟疑踌躇的。

异性接触

龚宝仙

在现代这个过渡时代中的男女，藩篱已撤去了，但是男女间一种不正当的意识还是仍然存在。我们知道做了现代的女子要想经济独立，要想服务社会，便决不能避免和异性的接触——否则只有深闭家庭才可避免。因此便常遇到“不知趣”的男子的烦扰，深感苦痛。我因要减少家中的负担，而不能继续着我心中所爱读的文学及美术的深造，以致于投向了这条为护士的道路，然而我既屈服在这条路上，必定要找出我所应当走的路径，于是我就认明护士的目标，抱着牺牲的精神，为人群造幸福，虽然是受社会的轻视，病者的呼唤，也得万分的忍耐着。我认为护士应具的几种精神：（1）仁爱，（2）谦逊，（3）忍耐，（4）整洁，（5）节俭，（6）忠诚，（7）庄严。这几点对于我职业上是很有重要的关系，不可不注意的，但我这样做去，最近却遇着在医院里认识的一位不知趣的男子，不知道写了多少的信，寄了多少的东西，我始终持着置之不理的态度；最近他的信不从邮局寄来，却亲自送往病室，做出那样鬼鬼祟祟的样子，函中的字句简直不堪入目！我固然坦白自守，但是他这样继续做下去，在旁观者也不知究竟何故，势必致于毁坏我的名誉，我真闷得发慌！我不知道还是持着我固有的精神而服务呢，还是脱离这个社会？真使我进退维谷。

十九，五。

〔答〕护士是安慰病人与减轻病人痛苦的天使，仁慈忠诚的护士，其有功于社会，实不下于仁慈忠诚的医生，龚女士的事业和志趣都值得我们的敬重。既在社会服务，即不免要和异性接触，诚如女士所言，所以本刊屡次说明在男女社交公开的社会里应积极提倡“绝对尊重对方的自由意志与人格”的习惯；无论为友或求爱，“须以双方出于自愿为第一条件”。倘若以新招牌为幌子而实行其压迫异性的暴虐手段，社会应加以严厉的制裁，舆论应加以严厉的攻击，勿令魑魅魍魉逍遥横行于光天化日之下，而犹敢悍然以合于新潮流云云以自掩其丑。

龚女士固受“不知趣的男子”的“烦扰”而提出一个问题:“还是持着我固有的精神而服务呢，还是脱离这个社会?”记者愚见以为倘若女士无意于护士的职业，那是另一问题，倘若是专为那个“不知趣的男子”的“烦扰”而欲弃此职业，则我奉劝一面仍“始终持着置之不理的态度”，或再表示坚决不愿的态度，嘱他勿再作无益的“烦扰”(假使他仍未知道女士心意的话);一面尽管持着“固有的精神而服务”;因为任何职业界都难免良莠不齐，只要自己有坚毅的意志，明澈的眼光，勿受诱惑，便可自卫，否则避不胜避。假使表示坚决态度之后，对方仍缠扰不清，尚可根据实际环境，加以相当制裁;如系院外人，可嘱阍人不准他入内;如系院内人，可与主持该院的当局商量警告的办法。至对于“旁观者”方面，只须自己问心无愧，不必畏惧。

嫁后断送了通信权

张胡光

我是贵刊的一个忠实的读者，当我每次读到贵刊中“读者信箱”一栏的时候，心里总是怦怦的希冀着，或者会有像我同样的一个疑问发表在贵刊上，可是总没有，我因为贪懒，同时怕我写的不行，所以总不敢尝试，现在我攻破了一切写在下面，倘蒙给我一个诚意的答复，那是十二分感激的。

五年前，我从邻人的亲戚中认识了一位异性，姓钱的，那时他不过十八岁，肄业于远东中学，我比他小二岁，在中西女塾读书。我们一见之后，彼此觉得意气很合，所以就互相通信起来。后来他因为五卅惨案发生，学校当局宣布罢课，因此他就辍学就商了。可是他出校后没有告诉我他的通讯处，所以大家就不通信了。后来我因为屈服在旧家庭制度之下，遵了父母之命，媒妁之言，许配与黄姓，因此也不读书了。事隔二年，忽然接到他从汉口的来函，细诉阔别之情，并说为了某种关系，到哈尔滨去了一年半，事前没有通知我，觉得很抱歉。我读了他的来信之后，真像得了宝贝似的，立刻就照了他来信上的通讯处，写回信到汉口，并把我的婚事告诉他。后来他的来信说，倘若对方有可取之处，他也很赞成的，并说“男女交友不必一定要以终身伴侣做目标的，请不要误会”，所以我俩很纯洁的做了一个文墨之交。

我在去年十二月里嫁了，他不远千里的赶来吃喜酒，并希望我得到一个如意郎君。唉！可是我嫁了之后，别的没有什么，只断送了我同钱君的通信权了。还有人毁谤说我有外遇，丈夫呢，也起了怀疑，不许我再和钱君通信。因此形成了我一个疑问：一个女子嫁了之后，是否再可以自由的交男友？同时一个男子写信给一个已嫁的女子，是否对于对方的丈夫会发生名誉上的关系？务请先生明白指教，不胜铭感。

四，十六。

〔答〕张女士所提出的“疑问”似可分为两点来答复，第一点是：“一个女子嫁了之后，是否再可以自由的交男友？”第二点是：“男子写信给一个已嫁的女子，是否对于对方的丈夫会发生名誉上的关系？”

就第一点说，倘若只不过做到“友”的程度，或好朋友的程度，当然可以。但男女间（指已成夫妇的）的“酸素作用”是很强烈的，无论何方，对异性朋友的形迹如果过于亲密，很容易引起另一方的嫉妒或怀疑。所以我们以为对于已结婚的异性朋友，最好和他或她的家庭一块儿做朋友。再说得明白些，我是一个男子，我的女友出嫁之后，我不但和她仍旧来往，同时并和她的丈夫一块儿来往；假使我是一个女子，我的男友娶亲之后，我不但和他仍旧来往，同时并和他的夫人一块儿来往。好朋友当然是要情投意合，不能勉强成功的，但是我们好朋友的“意中人”和我们也许不至十分说不来，就是有些未能尽合，我和他们俩在一块儿交际，仍得和我们心目中所认为要好的一位常获晤叙，至于陪着他或她的那一位（即友之夫或妻）尽管视为一件附属品，也没有什么关系。这不过是避嫌的一种办法，其实倘若只不过做做朋友，不要过分亲密，（男女过分亲密，很容易走到恋爱的一条路上，这是不必为讳的。）夫有夫的异性朋友，妻有妻的异性朋友，未尝不可。不过夫妇总是在一起的时候多，所以在实际上彼此的朋友往往总易于互相认识的。倘若不愿彼此认识，却在暗中偷偷摸摸的不公开的进行，大概总不免另有什么别的目的。

就第二点说，倘若所写的信不过是朋友的通常问候，或讨论学术研究社会问题等等可以公开的信，当然对于对方的丈夫绝对不至发生什么“名誉上的关系”；如系言情之作，那又当别论了。所以这种信件，夫妇间最好公开相示，勿以秘密而引起酸素作用。

以上是仅就张女士所提出的疑问作普通的讨论。就张女士本身的情形说，似乎只有通讯的问题，尚无交际上来往的问题，张女士的“他”已“不许”女士“同钱君通讯”，可见“他”酸性作用的程度已不浅，或者他的脑子还是很旧的一类。倘若张女士要保存她的“他”，倘若要希望夫妇间勿因一友之通讯而发生裂痕，似乎只有两途可供采择：（一）如能获得“他”的谅解，以后仍得和钱君作公开的通讯。(就是来往的信都给“他”看，表示彼此只是朋友，没有别的关系。)(二)如得不到“他”的谅解，而女士又要保存“他”，只得自愿“断送了同钱君的通信权”。

和男同事在一块儿

又　梅

我是一个未满二十岁的女子，家里只有一个老母，既没有兄弟，又没有姊妹，因之我的困难事情，也无从商讨，很希望先生对于我下面提起的这一件事替我解决一下。

我在去年由友人的介绍在某机关办事。初次到异地去做事，尤其是和男同事在一块儿，不免感到胆怯和羞赧，然而为了生计问题，也没有法子。在过去的几个月中，也不觉得什么，他们——男同事——都很和善，我有不明白的地方，他们总是踊跃地来指导我。这样的过了几个月，他们对我的态度就有些变更，慢慢的和我接近，尤其是内中的一个，时常借了一些无关紧要的事情，来和我作书面的谈话，并要求永久的和他做一个朋友，又时常单独的邀我出去游玩。先生！在形式上看起来，似乎是没有道理，可是我已经订了婚的人，怎好随随便便不加考虑的和异性做朋友？——这不是我的思想顽固，实在他的来信写得十分情热，倒使我不得不注意一下。因此我始终表示不愿，不过为了同事的关系，又不好和他十分的过不去，所以我总是婉言推辞，怎奈他只作不知不闻，仍旧继续不断的和我唠唠叨叨，较前更觉亲热，我在无可奈何之中——不好和他反脸——也只有假痴假呆的用正词来敷衍。这样一来，他对我的态度虽然较前好些，可是他的心比从前恐怕更要热烈呢！有几点可以证明：（一）在工作毕后，时常不离我的左右，或借事来找我谈话；（二）我想不到的事情，或比较困难的事情，总是来帮我的忙；（三）他所支配出来的工作——他是内部主持者之一——我表示不愿做的，他总是自动的替我换去；（四）有时他所分配的工作，总是和我在一起合作的。

先生！如何是好！没有一处不在使用他的手段，教我也无法可想，弄得同事间时常来打趣我，懦弱惯了的我只有忍气吞声的只作不听见，然而心中是何等的苦痛，恨不得马上脱离了这个火坑！可是一时又找不到好的位置——就是另外的地方，难免没有这种问题——家里的老母和我日常的生活费谁来维持？先生！如果我能够保持现在的态度，在感情上不再和他有一丝一毫的增加，对于我的名誉和人格上有否问题？

我是一个毫无阅历的人，对于这种事情的处置，那里找得到较妥的办法，可不可请先生替我解答一下？

七，十六。

〔答〕已经订了婚的女子不是不应该有异性的朋友，最重要的是要留意所交的异性朋友是否正派的人——是否品性端正的人，所以又梅女士所提出的："怎好随随便便不加考虑的和异性做朋友？"实在是可以令人敬佩的卓见，实在是合理的卓见，并不是什么"思想顽固"。

依女士告诉我们的话，男同事之"总是踊跃地来指导"当然不是坏事，就是慢慢的和女士"接近"，如果不过是因为同事相处的时间略久而熟悉了，彼此随意谈话，没有拘束，那也没有什么不好，不过异性同事或朋友的"接近"当然也有相当的分际，彼此能互相敬重，互有礼貌，谈话勿涉淫邪，举动勿涉轻薄，便是异性同事或朋友所应互守的“接近”的分际，在不逾越这种分际的范围内，“接近”并无流弊，否则以玩物视女子，做女子的便须慎防上当，要自己拿定主意，除公事外，不参加他们的谈话举动。倘若他们再不知自重，这便是一个很危险的地方，为自己终身的幸福计，最好力谋脱离。

其次请研究女士所提出的“内中的一个”。他对女士殷勤，如帮忙困难的事情，换去不愿做的工作，那都可算是友谊范围内可有的事情，就是分配工作时常和女士一起合作，也不能一定说他有何恶意，也许他因女士聪明，俾资臂助。不过工作毕后时常不离左右，甚至时常单独的邀女士出去游玩，那于同事的范围外似乎不免另有用意。这种用意也有好坏二种的可能：（一）也许他是未娶妻而正在物色终身伴侣的人，并不知道女士已订婚，所以特别这样殷勤，希望得女士做他的终身伴侣——即未来的夫人；（二）也许他是已有妻子的人，不过把女士视为一种玩物，存心诱惑，只想填他自己的欲壑，不顾到女士终身的幸福。前一种动机是好意的，后一种动机是恶意的，究竟属于何种，须视他的实际情形及平日品性为断，我们未敢妄断。无论如何，我以为女士如认自己已定的婚约是出于自愿的，应该老实使他知道，说明做一个朋友未尝不可，惟不愿逾越朋友的范围，倘他果是一个品性端正的人，便应该不再噜苏，倘再施种种诱惑恐吓的手段，那么他是一个歹人，可以无疑，在女士一时的生计固须顾到，而一生的幸福前途更须顾到，我以为有力谋脱离的必要。力谋脱离的方法，既有经济关系，只得寻觅其他的职业机会。女士虑其他地方也难免有这种问题，其实不尽然，只须选择得当，未尝不可得到正常的服务机关，未尝不可避免这种烦扰。

至于他时常单独的邀女士出外游玩，这种行为如在已达到爱人程度的朋友，或已达到“甜心”时代，固属平常，否则多少未免伏有危机，尤其是女士已订了婚，倘给未婚夫听见，也许要另生枝节，给女士以许多烦恼，我以为女士宜拿定主意，始终要极坚决的“婉言推辞”——这种坚决同“婉言推辞”并不必“和他反脸”。

我答复又梅女士的话已略尽于此。我这样的态度，在一班利用男女社交公开为假面具而实行其陷害压迫女性，不恤牺牲他人一生而取快自己一时的淫欲者，也许要大骂我思想落伍。但是我只能本着我的良心根据理性说话，我非但不反对男女社交公开，而且积极提倡男女社交公开，但是我却坚决反对借男女社交公开为幌子而实行其自私害人的伤心害理的暴行。我以为要男女社交公开，男性对女性至少要严格遵守两个基本条件：（一）须顾到对方的一生幸福；（二）须尊重对方的意志自由。现在我们常听见已有妻子的教师引诱年少无知的女学生，已结婚或无意结婚的男子随意引诱女子而屡演始乱终弃的惨剧，这在男子方面固然可借男女社交公开的机会以自达私欲，而被牺牲的女子一生幸福并不在这种自私自利的男子怀念之中。我们试想假使这个女子是我们自己的姊妹或女儿，我们赞成不赞成她被这种狼心狗肺的男子供一时的牺牲而送掉她一生的幸福？

讲到第二点，做朋友要绝对出于双方的自愿，绝对不应有所压迫。就是你有诚意为自己求终身伴侣，也须尊重对方的意志自由，倘若她不愿意，你便不应加以压迫。即降而说到寻常人所谓轧姘头，由于一方压迫的轧姘头，其罪实远过于双方同意的轧姘头。现在有一班自私自利的鄙夫暴徒，一若女性不肯任人随意轧姘头，便是不明白男女社交公开的新潮流，便是顽固，便是思想落伍，他们为达到新潮流计，便有强迫执行的权利！我不知道这种无耻的压迫女性的行为，和“野蛮”二字相去几何，而在今日则得冠以男女社交公开的美名，这种无耻之徒实在是男女社交公开的大敌，我们非大声疾呼的痛击不可。

像又梅女士孤苦零丁，自食其力而又须孝养老母，实在是一位极可敬佩的贤孝女子，我们应如何的爱怜她，维护她，倘有男同事不顾到她的一生幸福，不尊重她的意志自由，施以种种压迫，使她如处“火坑”，是否罪大恶极的卑鄙残忍行为？我们是否许他借男女社交公开为幌子而自饰其罪大恶极的卑鄙残忍行为？

最后我要郑重重提上面说过的那两个基本条件：（一）须顾到对方的一生幸福；（二）须尊重对方的意志自由。不能严格遵守这两个基本条件者，不配谈什么男女社交公开。以后女子教育愈发达，女子在社会服务的机会也愈多，男女社交公开的机会也愈多，这是一定的当然的趋势——可以说是一种值得欢迎的良好趋势。不过在此新旧过程中，旧观念既败溃不足以范围人心，新道德又未养成，乃不免有多少牺牲，我们所要注意的是要极力减少这种牺牲到最小限度。我深信在男女社交公开方面，我们如能养成“顾到对方一生幸福”与“尊重对方意志自由”的风气与习惯，必能减少许多不必要而可免的牺牲。

有位助教

张淑慎

我常在贵刊“读者信箱”栏内，看见过许多生活上的难问题，经先生指示后，就似觉很明白的解决了。我现在正为着一件事烦恼，想请先生指教。我是一个在大学里读了将近两年的学生，选习会计学系，对于会计学很愿细心研究，成绩也还不差。我校会计学系有位助教，上课极其认真，讲解也很明晰，因此我得到他的益处不少。他就是本校的毕业生，毕业后因为会计学成绩最佳，留校担任助教，现已两年，最近辞职，别就某工厂会计科主任事。他离校后时常寄信给我，要求我与他在学问上继续不断的来往，不愿谈及其他。他曾要求过我帮助他翻译一本最新在美国出版的《会计学》，可是我没有理他。我觉得现在青年男女一经接触，难免不归结到婚姻问题上去，这位助教还是没有结婚的，他虽然说只在学问上来往，我猜他的用意恐怕要更进一层。我实在说，我已心许一人，不愿再与其他男性接近，可是他总是不断的寄信来，我心里实在烦闷，想拒绝他又似觉没有理由，不拒绝又恐怕给人嘲笑，尤其是怕给人误会，上下两难，敬求先生裁答，感激不尽。

这封信如在“信箱”里答复，请代换一假名，通讯处亦请删去。

七，二四。

〔答〕这封信的内容我可以说一个字未曾更改，不过张淑慎三个字当然是我遵从作者的意思而捏造的。其实本栏里所发表的信件——尤其是女读者商榷问题的来信——大多数都是用假名发表的，我想这种地方虽近乎说谎——却是公开的——当然可得读者的谅解。

我们读这封信，觉得张女士和那位助教都是好人。照张女士所说，那位助教在求学时代是个好学生，在教学时代是个好教师，在做朋友时代能以切磋学问相勖勉，又可算是一个良友。就是“他的用意恐怕要进一层”，他自己既是“还没有结婚的”，如他不知女士“已心许一人”而是出于自求终身伴侣的诚意，在他也是一件好事，不能说他坏。所以我认为我们从择友的观点上看，那位助教未尝不是一位可取的良友。

我以为做男子的除夫人外未尝不可有女友，做女子的除丈夫外也未尝不可有男友，最重要的是所择的朋友须正派人，即品性端正的人。依此说来，即张女士“已心许一人”，若仅仅乎和那位助教做个研究学问的朋友，不是绝对不可的事情。不过女士所说“现在青年男女一经接触，难免不归结到婚姻问题上去”，也确是一部分的实在情形，换句话说，她自视“已心许一人”，深恐那位助教“用意恐怕要更进一层”，这种审慎态度，很可敬佩，所以我说女士是好人。那么怎样才好呢？依我的愚见，女士似可直截爽快的把和盘向那位助教托出，老实说他的学识品性女士都敬重的，所以要做研究学问的朋友未尝不可，但是讲到终身大事，女士已心许一人，固知他的意思只在做研究学问的朋友（他的真意如何不管，在女士此时对他只得这样说），不过鉴于一般男女做了朋友往往“难免不归结到婚姻问题上去”，所以老实预先说个明白，以免他将来失望云云。（我此处不过说个大意，在女士的书信当然还可说得婉转雅达。）记者个人向来喜欢直截爽口的开诚布公的推开天窗说亮话，我以为隐瞒隔膜可以发生许多误会与恶果，开诚布公直截爽快可以消灭许多误会与恶果。这样一来，女士的“更进一层”的忧虑应该可以化为乌有，而同时并不必和他绝交——假使女士认他是值得做一个朋友的话。

但是还有一点要注意，妒忌心和猜疑心是人类所难免的——至少是现在人类所还难免的——女士所“已心许”的那“一人”究竟怎样，我们不得而知，为避免无谓的妒忌和猜疑起见，女士就是要用上面所说的开诚布公交友的办法，最好也先与那“一人”商量商量，看他的态度怎样。倘使他是一个很能谅解的男子，当然无问题；倘使他连此都不以为然，而在女士因“心许”而必要保持着他的话，那只有连开诚布公做朋友的一层也抛弃了。

至于合作译书的事情，在此事的本身也算不了一回事。例如沈性仁女士嫁给陶履恭君，沈女士却和胡适之君共译了一本《林肯》；又例如俞庆棠女士嫁给唐庆贻君，俞女士却和孟宪承君共译了一本教育名著（书名一时记不起来)。沈胡，俞孟，他们都是朋友，我们并未闻陶唐两君因此吃起醋来。所以张女士和那位助教共译一书之是否可行，也须看她所“心许”的那“一人”的态度怎样。我说这句话，并不是说张女士自己不应有主张而必须依那“一人”为从违，不过是说倘若张女士已爱上了那“一人”而要千方百计的保持着他，那么关于这种可以引起对方醋味可能的事情不得不审慎罢了。

女性化的怕羞性

车景和

贵刊已被认为定期刊物中的King，受尽人的赞美，受尽人的欢迎，我也不必再多来恭维了。现在我有个自己委实不能解决的问题，求先生指教。

我是个二十岁的青年，去年暑期由某高等商业专门学校毕了业，就考入本埠某大轮船公司服务。在理，不消说，二十岁左右的青年，求侣——异性的伴侣——的观念，当然特别的热烈，可是我年纪虽然二十，但我小的时候女性化的“怕羞性”依然存在，见了不认识的人——尤其是女人——总不大说话；即使有时勉强能说得几句，总是吱吱地说得不流利；倘再多说几句，说话的勇气就会自然地慢慢地消失，同时“怕羞性”就袭进心房，使我的心无能为力去调剂说话的勇气和“怕羞性”的消长！

有人说：“怕羞是由于神经衰弱的缘故。据说先天不足的人往往较普通的人怕羞些……怕羞也是一种病症，人为力（譬如医药的疗治）是难于见效的……”这种评论，虽然也有见地，但我自信身体强健，田径赛运动，球类运动，样样都会弄，并且都很喜欢，至于卫生方面，又很注意，然而依旧这样地怕羞，到底什么缘故？

因为怕羞，所以我对女友的交际上就受重大打击。我心上诚然要多交几个女友，可是待我有接近女友的时候，我的“怕羞性”就会起来阻碍我和她讲话的情绪，这使我的女友感觉着不乐，以为我不愿和她多讲话了，其实她那会晓得这不是我“不愿”和她多讲话，实在是我“不会”和她多讲话啊！

总之，我现在有交女友的心，苦没有交女友的勇气，求先生指示我个安全的方法，要在交女友的过程中，没有怕羞的阻碍，也要没有怕羞的发现。

〔答〕编者按：我们因车君所见询的这件事是心理学上一个很有趣的问题，所以特为请求心理学专家张耀翔先生代答，承张先生于百忙中很诚恳的很详尽的给我们下面的答复，我们非常感谢他。下面都是张先生答复的话。

“怕羞性”人人都有一时期有，不过各人程度不同，久暂不同。你今年才二十岁，没有脱离这个时期，还不算迟。世上有人活到三四十岁以上还脱离不了，并且对于一切人都是如此，那才可虑。

你不过是专对女子，专对年龄相若，与你有结婚可能的女子，才发作。你虽说遇见了不认识的人（包含男子）也是如此，但你既能在高等专门学校毕业，各种运动都会，现在又在某大轮船公司服务，足见你平时遇见不认识的男子很多，并没有多大困难，所以我说你的问题是专对女子。

如果你对于年老或已婚女子及小女孩，也犯这种毛病，你必定更注意这件事，信上必定会提到；现在既未提到，足见你的问题还不是对一切女子，乃是对与你有结婚可能的女子。这诚然算不了病症，用不着找医生。

怕羞是怎样起的呢？多半起于自卑情绪。小孩见了大人，徒弟见了师傅，属员见了上司，乡下老见了城里人，最容易发现。有时起于自卑情绪与自尊情绪的交战，一般人对于生客为何会面红耳赤呢？因为这人的来路不明，我不敢居自尊或平等地位，同时又不愿居自卑地位，一时方寸乱了，不知不觉的便流露于外。你对于青年女子说不出话来，大概是因为你觉得她们太神圣了，自己太平凡了，好像小说里的贾宝玉把女子比清水，把自己比浊泥一样。或者你同时又有一点觉得：像这样菲薄自己，是令女子看不起的，所以说话要非常小心，不要有一句一字贻笑大方，还是少说或不说的好。如果你的毛病在此，那么，以后会见女子的时候，要存一个“她固很好，我也不坏”的念头，（按：凡不能作此想者，纵成眷属，终必怨偶，车君可作此想，因为他有曾受高等教育，身体康健，经济能独立，三事足以自豪。）打破你的自卑心，自然畅所欲言，好像对于你的一位小妹妹一样。

女子是不愿意与不如她的男子共生活的呵，几乎是你愈在她面前自尊，（却不要妄自尊大，不过时常把你的特长叫她知道罢了。）她愈觉得你可爱。不会讲话不要紧，而暴露你不如她的感想，那可危险了。

如何能加增一人的自尊心，即你所说的勇气呢？最妙的莫过于多与女子往来。这倒不必是与许多女子往来，乃是与已经注意的一位女子时常往来，由生疏而熟习，谈话自然如意了。你的论调好像是：我不会讲话，所以我的女友很少。你要知道也是因为你少与女子往来，所以你不会在她们面前讲话，两件事是互相因果的。所以多找机会与女子见面，那怕头几次很觉不安，确是一种根本办法。为人子者的地位不也是很卑微的么？何以在父母前谈话就那般自由？无他，习惯了。熟习可以打破一切不平等的念头。

在女子面前说不出话来，也许是性激动太强烈了。情绪——尤指爱情——本来是内部机体或器官的骚扰。这个骚扰可以使人食不下咽，寐不安眠；也可以使人说话的机能暂时丧失。看你求异性伴侣的念头那般热烈，可知你在她们面前的惊喜到了什么程度了。如果你的毛病在此，你的问题便是：情绪与意志之战。要使你的性激动不妨害你要讲话的意志，惟有练习之一法。循序的练习可以坚强意志，克服畏惧。你若觉得练习二字太空泛，下面便是我的具体方案。

你看完这篇答复以后，赶快去碰你那一位女友，事前拿定“无论如何我这次要在她面前说两句话”的主义。第一句是称呼她一声“密斯某”，在一见面的时候说；第二句是“再会”，在临去或走开了几步的时候说。你在事前并可先想像你面前有一位女子，把这五个字大声念几遍，好像预备演说一样，我想你纵然怕羞，胆小，也决不至连这五个字也说不出。这是第一课。

第二次见面的时候，除了说上面的两句话以外，一定再要加上“今天的天气很好”“你吃过饭么？”两句。倘若你嫌这课太长，分做两次练习亦可。（编者戏注：这当然是张先生举几句例的意思，也许是张先生写这篇东西的时候，正在“吃过饭”未久之后，所以想到“你吃过饭么？”，倘若车君在上午九十点钟的时候，什么人的饭都未曾吃过，或下午三四点钟的时候，什么人的饭都老早吃过了，他再用起劲儿问“你吃过饭么？”恐怕车君有被对方认为“阿木林”的危险！）

第三次见面的时候，除了重复说上面的四句以外，还要加上四句，例如“你近来作何消遣呢？”“我不久要到杭州去了，你喜欢龙井茶叶或西湖藕粉么？”之类。

读者不要笑我这个方案，一切不会讲话的人，都是因为事前没有充分的预备，临时讲演不是个个人能的。

以后每次所说的话，都是比上次多些，如此练习十回以后，恐怕将来只听见你滔滔不绝，不闻她的娇声，反把她弄得害起羞来了，那时“我爱你”“你愿意和我结婚么？”一类的话，也可以乘机加入。谨祝你的成绩。

附注：万一这一切方法都失败了，最后你还有通信交际的办法。信里无妨将你的困难向她讲明白，说“这正是我觉得你神圣不可侵犯，对你一往情深的地方，请你特别谅解”。最后我还要为你担保，你这“怕羞性”，一年一年自然会减少的，上面提出办法是怕你迫不及待，所以你用不着为这事过于担忧。

张耀翔代答

第四编　恋　爱

求　爱

陈蕴玉

我为了一个问题得不到适当的解决，所以几天来弄成了失眠症，和朋友们讨论，也得不到善策，现在只好写在下面恳求先生代我解决。在未提出此事以前，先来介绍一下我自己吧：我是一个中学毕业生，现在本埠某机关里当一个小小的办事员，年龄廿二岁。问题是一个男子向我求爱。讲起和这位男子的认识，还在一年前，起初因为我的左足患了冻疮，不良于行，每天到局办事，总要迟到，吃了公家的饭，未能为公家尽职，在自己实在深抱不安，因此竭力求医，冀其速愈，但跑遍上海的医院，东诊西治，多时未愈，后由同事的介绍，赴公立上海医院求治，该院即派某医生诊察，那位医生对我的病万分细心，好像马上要医好的样子，连看五次以后，他就拿出几部书来，说是他的医学著作。当时我也无所用心，就接了下来，约有二星期后，他就表示爱我，并且托他的同事（是我的同乡）用十二分诚意宣布他的意思，一方面也有劝说我的意思。当时我自思不能爱他，所以就此不去医治，他自己来寓替我疗治，每天风雨无阻，连夜饭也牺牲，因回院晚餐已开过，溃烂得不堪收拾的冻疮竟也给他治好了。此时我的感激他可算超过其他一切有惠于我之人，可是我单只感激，并无丝毫爱意。后来我寓所他迁，未曾通知他，他又转辗打听我的住所，来书要求我做一个朋友，我想当此社交公开的时代，做朋友也不必限于性别，只须友情与爱情分得清楚，有什么要紧，所以我也不十分拒绝，不过回答他无论如何不能作终身伴侣的。那时我很冷淡的处置，像这样以朋友的名义，相交约有一年，其中感情甚为淡漠，因为他给我医治好疾病，要是与他绝交，于情感十二分矛盾，而且情理上亦所不许，因此一直以一个朋友相待。他仍是无时不是热烈地爱着我，不过那时我的理智很强，我那时是如此想的：他是一个公立医院的医生，做医生的人应该给人看好疾病的，这是他的职业应该如此，至于医生的忠心看病与否，那是他的私德，至于受惠的病人也只须予以相当的酬报与感激，而绝不能以爱作酬报，拿来当看病的代价，盖恩是恩，爱是爱，两者绝不可混淆也。

因此我对于他的爱情始终不敢接受，又因欲酬其劳，就买了一只手表送他作为诊仪，此后我母亲的病症也请他医治好久，所以很多接触，他倒随机一步紧迫一步，最近甚至在各处宣布于元旦后将与我订婚，我给他缠绕得实在没有法子，故缮告始末，祈先生为我解决。

我是不满意他的——他的年龄太大，三十岁了，身体衰弱，环境不同，而思想各异，很多讲不投机的地方，我对他毫无情感，他所使我佩服之处，在性情温和，用情真挚，医术高明。

我现在发愁的，就是他用自杀方法相要挟，怕社会骂我忘情负义，怕社会评我“既不爱他何必勉强和他做个朋友”等许多话！

〔答〕陈女士思想明晰，观念正确，主张稳妥，我读完这封信后，非常佩服，原信中凡遇重要之处，记者均加上了密圈，俾能引起特别注意。女士所说的都是我所表示赞同的，我现在所要奉告女士的最重要的一点，便是要有坚强的意志与毅力来把自己的主张坚持到底，千万不可半途软化，以致一失足成千古恨，自招一生无穷的苦楚。为女士终身前途幸福计，这一点是最最重要的，所以我劈头就把它提出来，请女士加以特殊的注意，以下所说的几层都是根据这一点做出发点，就是把这一点做中心。

第一层我要说的是以后教育更普及，女子受教育的愈多，职业愈公开，女子在社会服务的也愈多，男女社交公开乃成为自然的趋势，在此趋势之中我们要竭力提倡男女朋友应绝对尊重彼此的人格与意志。男女社交公开并非专为"求爱"而有，但因男女社交之公开，"求爱"乃能多得机会，这也是一种自然的趋势，换句话说，未曾结婚者有因此得到相当对手而由发生恋爱以至有情人得成眷属的机会。在这个"求爱"的趋势中，我们也要竭力提倡男女两方应绝对尊重彼此的人格与意志。再说得明白些，婚姻要基于双恋，就是他爱她，她也爱他；倘若只凭单恋就用不正当手段来压迫不愿意的一方，这是最卑鄙的行为，社会应加以唾弃，亲友应加以鄙贱，舆论应加以攻击，使这种用压迫手段以摧残他人人格与意志的人无以自存于社会，由此养成男女都知绝对尊重彼此人格与意志的良好风气。今“某医生”对陈女士虽“热烈地爱着”，而陈女士对他却始终“不能爱”，这显然是“单恋”而非“双恋”，女士之“始终不敢接受”，她的态度是完全对的，因为圆满的婚姻须基于“双恋”，勉强的由“单恋”压迫而成的婚姻，是绝对得不到好结果的。

第二层，选择婚姻有种种重要的条件，而良心好，身体好，当然也是重要条件中所不可少的重要条件。我们只要看到某医生明明知道陈女士不愿意，却先在各处宣布于元旦后将与她订婚，这种造谣欺诈阴险卑鄙龌龊的手段，其心术之可诛实等于强奸，其良心可谓一团漆黑，就这种欺伪的品性言，女子如果上他的当，前途万分可危！我要奉劝女士千万不要怕他，这种造谣与女士可谓毫无损伤，因为事实究竟是事实，终有水落石出的时候，况且他可以各处造谣，女士不可以随处声明吗？讲到身体的健康方面，女士明明说他“身体衰弱”，这也是一个很重要的条件，万勿迁就。此外女士还说“很多讲不投机的地方”，这也是很重大的毛病，不可不注意。（女士以三十岁的年龄太大，我却以为不重要，因为男子三十岁的年龄正是学识经验事业最有头绪的时期，并不算大，不过有了上述的大毛病，年龄大小也就说不到了。）

第三层，他用“自杀”的话来恐吓女士，女士千万不可被他吓倒。嘴里喊着要死的人，大概是最怕死的人；就是他真死了，也是他自己不明白事理而死，是他自己该死，女士于法于理，都可以完全不负丝毫的责任，凡是明白事理的人决不至“骂”女士，至于不明白事理者说的话，可以完全置之不理。倘以终身大事为“该死”的人之恐吓而牺牲，这是自己“该死”，自取其咎，女士不可不拿定主意，坚持到底。女士信里所说的态度和主张都不错，已是“善策”，现在所急需的是加上“决心”和“毅力”。

拉　倒

王绳祖

鄙人读了贵刊第七期先生答复陈蕴玉女士之言论，不由我不佩服得五体投地了；可惜在下未能早聆教诲，以致恩与爱分不清楚，竟轻易地把爱当作了报酬的礼物，真是一失足成千古恨，虽觉悟未晚，然而名誉已从此牺牲了呢！我且将我一段惨败的报恩主义的爱情简略地写点在下面，请先生看了下一个公允的批评，省得后人蹈我的覆辙。

一九二八年的春天，我正在某中学念书，因我反对校长太激烈了的缘故，竟被他诬陷而下了狱。在狱中的时候，一日有一位我素不认识的同乡素梅女士写了封信来安慰我；她对我的患难似乎抱了深切的同情和怜恤，因此我和她便开始通了信。从此以后，她有时候买些食物来狱探望我，有时候她替我做些紧要的事情；总之，我在狱中一年余，她待我比亲骨肉还要好，我当然感激万分了！并且我曾听一位同乡说，她是一位未曾结婚的童养媳，深深地受了婚姻的痛苦，很想努力奋斗，找一条光明的出路；所以我除感激她的深恩外，对她的凄凉的身世也抱了无限的同情。

我俩自从患难中相遇以来，经过的时间足足有两年多，然彼此往来，兄妹似的，纯为一种高尚的友谊，丝毫没有其他心情的。到了一九三〇年四月的某天，在狱中也曾沐过她的深恩的石父兄到我校来闲谈。他说刚才接到素梅女士一封信，她和他讨论婚姻的问题，他问我有什么意见。我说我和她纯粹是一种友谊，对于她的婚姻问题不愿参加任何意见。他不觉愕然地久之。他说我总以为你俩已发生爱情了呢。我大吃一惊！连忙追问他是谁说的。他笑着说，外面有许多人都这样怀疑你了，你还不知道吗？我回答他说这完全是一种谣言，也许她向人故意宣传呢，千万不可相信。他便说她心中的确很爱你的，只是不敢向你要求呢；你如肯爱她，也未始不是一件患难中的纪念。他说她依然是一个纯洁的处女，今年和我同年——二十四岁，性情和体格都很好，生活也能独立。他叫我写封信去试试看，他也给我写封信去。经他这样一说，我不觉生出了一种好奇心，以为她在患难中来同情我们，原来是怀有一种作用的。她并不希冀我其他的报酬，只一心一意想攫取我这纯洁的灵魂。我实在不满意她，第一相貌太丑陋了，第二她是一位童养媳。但因为她既对我用了如此的苦心；而我心中也实在感激她，终于情愿牺牲一切，将一颗纯洁的心灵来酬谢她的深恩。所以我虽不满意她，但既表示相爱了，在书信中我也故意写得热烈些，好使她能够得到强烈的安慰。

我俩因为一个在上海念书，一个在杭州念书，天各一方，只是在书面上卿卿我我，表示些爱情罢了。到了九月底，我因赴杭诊病，和她又见了一次。她这次才告诉我她已正式和王某结了婚，但并非出自本人的意思，完全由父母作主，从小就在王氏家中养大的。她说她今年已三十岁了，身体很衰弱，肚子常常会痛得死去活来。我听她这样一说，宛如头上浇了一盆冷水，对她已万念俱灰了！

正在这样时候，家中恰巧写了封挂号信来征求我对于婚姻的意见，说要给我订婚了，对象就是她的堂妹。她堂妹也是在杭州某中学念书的，品行，学问，相貌都不错。年纪也比我轻，我心中本来很欢喜她；但因为已爱了她的关系，终于硬着心肠拒绝家庭的提议了。后来家中又托了一位同乡来沪将种种情形告诉我，叫我不可过于执拗。我一边虽很心爱她的堂妹，一边又对她自己灰了心，但我觉得既已表示爱了她，决不可违了良心又抛弃她的，即我痛苦一生也拉倒了，所以第二次又拒绝了家庭的提议。

不过，我为了恩与爱的问题，足足思量了半个月，我觉得为了良心问题就牺牲了一生的幸福总不情愿，并且我如受了万分的痛苦，即使和她结了婚也没有幸福可言的。假使我现在勉强维持下去，将来也许有决裂的一日；与其决裂于将来，何如退而维持友谊于现在？退一步言，我即使将就她，但她离异的事情也不是轻易办得到的。即使她离异的手续办得成功，以学法政的我而煽惑她去离异，不但要受尽社会的攻击，也许在法律上要罪加一等呢！以良心而论，她从小在王氏家中养大，以及正式和王某结了婚的，她都想抛弃他，试问她是有良心的女子吗？我不过在患难中受了她许多同情和怜恤，现在也不过通过几封信，又并未和她订过婚，我今发现了阻碍，想退而和她维持友谊，怎能说我没有良心的呢？况且依照恋爱的原则来说，一个人在未订婚前，是有恋爱的自由的。我根据了以上的原理便决定退而和她维持友谊，一面通知家中去进行婚事。不料她得到了这个消息，即愤恨异常，迭迭拍电报来要逼我和她一道服毒。我知道友谊已无法维持了，便毅然决然和她绝了交。她没有办法就将我写给她的信札尽量地向某中学宣布出来，说我如何如何的不好，逼她堂妹写信回家去拒绝我的婚事。她的堂妹一则因为名誉给她弄坏了，二则心中也很爱我，偏偏不写信回家去拒绝。她看看计划失败了，便连忙回到故乡去，一方面在她叔父面前说我的坏话，一方面又将我写给她的情书向社会宣布出来，故意来毁坏我的名誉。不料她的堂叔父知道了她的诡计，偏偏不反悔婚姻；于是她的一切手段都失败了，便服安眠药自杀，幸经家人发觉得早，终于救活了。这样一来，我的婚姻问题在故乡闹得满城风雨，社会上的舆论总说我是一个忘恩负义的青年，我实有点不服气，现在请先生来下一个公允而正确的批评吧！只要先生说得有理由，即使你骂得我体无完肤也是甘愿，丝毫没有怨恨的。总之，这是一幕惨败的报恩主义的爱情，她险些儿牺牲了第一生命，我也险些儿牺牲了第二生命，啊啊！真危险呀！

十九。

〔答〕恩与爱固然应该要分清楚，但是王君的事实与陈蕴玉女士所述的事实根本上有一个要点不同，所以这两件事不能相提并论。他们根本上不同的一个要点在这里：陈女士的事实，据她自己说“我单只感激，并无丝毫爱意”，又说“答他无论如何，不能作终身伴侣的”，又说“我对于他的爱情始终不敢接受”，照此说来，她始终对某医生不曾丝毫表示过爱，也不曾接收过对方的爱，不但如此，她并且一开始即老老实实的声明不能作终身伴侣，这种态度是如何的显明，对方那位某医生如再不明了，或自寻苦恼，责任当然应由对方自负，在陈女士可以丝毫不负责任；王君的事实则不然，他自己说“表示相爱”，“在书信中我也故意写得热烈些”，他和素梅女士已“在书面上卿卿我我，表示些爱情”，照此说来，他确对素梅女士表示过爱，确曾接受过对方的爱，这种态度也是很显明的，素梅女士见他有这样确切的表示“相爱”而信任他，现在因王君反复而使她感觉苦痛，其此责任应全由王君担负，素梅女士的悲痛实有她的正当的理由，并非像那位医生之自寻烦恼者可比。

记者在本刊第五卷第一期的“信箱”里答复徐伟成君《热吻后的烦扰》一文，曾有过这几句话：“异性朋友就是心里蓄有选择终身伴侣的意思，但也应分清楚两个时期，一是方在选择的时期，一是已经决定的时期。在选择的时期内，备选的对象当然可以不止一个，就是只有一个，在选者此时如仍有不十分称心的地方，还可以静待其他比较的机会。不过有一点很重要的，就是尚未决定而在游移考虑的选择时期，不可过分亲热……在选择的时期，你不中意这一个，却中意了那一个，你换了中意的而远了不中意的，还不至伤及被远者的心。若既入了决定的时期，有了决定时期的行为，一旦弃其旧而新是谋，便要使被弃者伤心。”（其详请参看该期原文）我常以为这两个时期，一是选择时期，一是决定时期，必须分清楚。倘若尚在选择时期，即贸贸然做出决定时期的行为，或已在决定时期而独存有选择时期的态度，都是自寻烦恼，作茧自缚。人到底不是一件东西可比，你对于一件东西，高兴要时就说要，说要之后，忽而不高兴，尽可把它丢开，那个物质的东西毫无感觉，当然可以让你随意要不要，并没有什么困难，因为在这件物质并不受你什么影响。至于人，或女子，是有思想有感情的动物，你在尚未决定要她的时候，就应该表明态度，勿使她误会，假使随随便便的瞎亲热，甚至表示相爱，一旦不高兴而说声不要，在她的精神上固不免大受刺激，异常难过；在你自己的良心也不见得如何舒服。所以我再三说选择时期与决定时期要分清楚，这样对人对己，都可避免许多烦扰与痛苦。王君与素梅女士虽尚未有订婚的形式，然他对她的确表示过“决定”的态度，这是听他在这封信里所说的话而可无疑的，但他虽自己跑进了“决定的时期”，而却仍不免存着“选择的态度”，未曾把这两段分别清楚，这是他自己自寻苦恼，同时还害素梅女士无限伤心的原因。

王君以为素梅女士，“从小在王氏家中养大，以及正式和王某结了婚，她都想弃他，试问她是有良心的女子吗？”愚意这全是落伍的思想！她不幸做这童养媳，受强迫嫁与王某（乃前夫，非本信作者王君），如今她能设法跳出这样非人的生活，以爱上了王君而以终身相委，离开机械的压迫的生活而想迁到恋爱的自由的生活，这正是她有志气，有思想，有胆量的可敬行为，她初不料王君对她所表示的爱不是出于至诚而要三心两意的，但这点不能怪她，只能怪王君对不住她。至于王君所提出的处女非处女，也是落伍的思想，懂得恋爱真谛的人，处女并非绝对的条件。王君起先听朋友传语说“她依然是一位纯洁的处女，今年和我同年——二十四岁，性情和体格都很好”，后来在杭和她相见，听她说“已正式和王某结婚……今年已卅岁了，身体很衰弱，肚子常常会痛得死去活来”，因此王君“对她已万念俱灰了”。处女非处女的一点，上面已说过，不赘述，至于性情和体格，王君从前非未见过她，应有相当的观察，难道到了后来听她自己说起才这样的大惊小怪？至于年龄，也大概看得出，若以三十岁的年龄，而在王君从前见面时视为二十四岁而不生疑，直至她自己后来说起才“万念俱灰”，也是不近情理的事情。至王君说“一个人在未订婚前，是有恋爱的自由的”，这句话的正当解释是说一个人在未订婚之前，未对任何女子表示过愿为终身的伴侣，在此未决定的时期里，要选择那个，当然有自由权；但如果虽未有订婚的形式，而确已对某一个女子确切表示过愿为终身的伴侣，乃以未曾正式订婚为借口而以恋爱自由自恕，在法律上虽无罪名，在良心上实有缺憾。

记者虽根据事实的研究，认为王君实在对不住素梅女士——不是说他受了她的恩一定要爱她，是说他既非至诚要爱她，不应贸贸然表示爱她，表示后又忽然变卦，使她气得死去活来，极人间之惨苦；但我却无意劝王君一定要迁就和她结婚，因为王君对她的态度既如此，就是勉强结了婚，在王君固痛苦，在素梅女士也不能享到安乐，不如在未正式订婚结婚之前作罢，免得多种将来的恶因而遗更多的恶果。既承王君许我批评，我乘此机会老实批评一番，希望以后这样害人伤心的事实可以少些。

关于“拉倒”

黎友于

在贵刊的十一期内，载有《拉倒》一文，叙述王君与素梅女士恋爱的一段事实。先生作的批评，对于王君，辞严义正，不愧史笔。处于旁观地位的我，固认为至理名言，即身历其境的王君，当亦心服。但对于素梅女士，先生只有万分怜惜，而无半点疵议，鄙人窃有所言，现大胆地写在后面，请先生指教。

素梅女士的婚姻，虽由父母作主，未经女士同意，但既已与王某（即本夫）正式结婚，则女士与王某在法律上和名义上实为正式之夫妇，以有夫之妇，未先经过离婚手续，而背弃本夫，与第三者发生恋爱，于法理，人情，道德三者，有无违碍，实一绝大疑问，或者说女士与王君恋爱，尚在友谊的状况之中，候王君有确实愿与女士结为夫妇的表示之后，则女士自当向其本夫进行离婚手续。此种意见，鄙人不甚赞许，夫妇果有不合，而有舍旧谋新之必要，亦须先行与旧者脱离关系，再寻觅相当的对手作新的伴侣。素梅女士所为，乃一方面与本夫仍为正式夫妇，一方面进行与他人恋爱之工作，似此行为，如认为绝无关碍，恐家庭的秩序，人群的风化，将无法维持。恋爱本应自由，但也有它的范围和程序，为恋爱者所当遵守的。

至于素梅女士失恋之后，对于王君的婚事极端破坏，在女士受了一番重大的激刺，心中感觉万分的痛苦和悲愤，这个鄙人很表同情。但是因此即可不顾一切，随意行动，直接或间接的加害于人，似乎说不过去。并非对于可怜的素梅女士，忍心加以苛刻的批评，广泛的说，一个人处境无论如何的困苦，如何的可悲可痛，绝不应因私而用不道德的手腕对付他人，或者示懦弱的心理，戕害自己，而且应当格外使精神向上，保持刚正的态度，磊落的心胸，方是好汉。所以素梅女士失恋后的行为只可怜悯，若说是无可议论的，就未免宽恕之辞了。

以上所说，或有思想和理论过偏的地方，务请不吝指正，敬颂撰安。

〔答〕黎君所举出的两点，诚有卓见。记者那篇答复，是偏重对王绳祖君发言，非偏重对素梅女士发言，对象既有所专注，故所言意旨亦有所专注。我在那篇答复里曾提及“我却无意劝王君一定要迁就和她结婚”，此意虽偏重答复王君，但同时亦可反映素梅女士于失恋后之极端破坏，也是我所不以为然的。素梅女士倘提出她的态度来和我商量，我当然是要劝她不必再恋恋于王君，更不必“极端破坏”。我一向主张男女之结合应基于双恋（已经旧式结婚者自当别论），如仅有单恋，绝对不应对对方有压迫的行为，就实际方面讲，仅有单恋而勉强拉拢的结合，绝对得不到好结果，既明知得不到好结果，又何必勉强拉拢，作茧自缚呢？所以黎君所举出的第二点，我是很赞成的。至于第一点，黎君的主张当然也很有理由，但是在事实上要想“先与旧者脱离关系”，实在不是一件容易的事情，因为未得本人同意的婚约，法律准许提出解除，不幸贸贸然结了婚，倘无法律上所规定的离婚理由，除非对方允许协议离婚而不必经过法律手续（即判决离婚），便受法律的拘束，“先与旧者脱离关系”便是很难很难的一件事——倘若不是不可能的事情。在这种压迫情况之下，这一颗无处安顿的“心”，遇着理想中的对象，便不自主的被吸引，虽不免如黎君之“绝大疑问”，我殊不愿有所苛责。我以为做男子的人在这种地方，殊不必死死的拉住不放。

理智和情感冲突的苦痛

去　微

现在我有一件事恳请为我解决，不胜感谢！

我是个未满双十的女子，曾在专门学校卒业，任教于省中，于学界愧无多大贡献，但是堪慰者，于社会情形略知一二，所以经济方面足以自谋无虞，可是有一件事常盘旋着脑际，使我精神不宁。我有个小朋友，他年纪是二十外了，怎么还称他是小朋友呢？因为他自小就和我住在一起，虽则现在彼此都大了，但是总拿小朋友互称的。在去年的暑期，他留美去了。他这次并不是去镀金的，听说在外国学校里考试成绩有第一名的希望，决心要为我祖国增荣，其志可嘉。

但是他常来信说他离别了家庭，疏远了亲友，孤独的在外，心里总是怏怏不乐，他要求我去信安慰他，调剂他的生活。我在可能范围内间或也去信鼓励他，语句也不过促成他将来的事业，不负他老母姊弟的期望罢了。他的父亲已经弃养了，所以他格外觉得前途的奋斗全赖他一个人。

在最近他的来信直截的说我是他的明灯，是他精神上唯一的安慰者。我却不能接受他的诚意，我却拒绝了他。我写信去告诉他所以拒绝的原委，我说我正为爱你，所以才为你前途计而拒绝的。他家庭状况我很明了的，他在十五岁时已经同表姊订婚了，他的表姊因为年龄的关系，所以比他老成些。他因为在家很娇养的，所以还是很天真诚挚的，所以他与她并不怎样亲近。为着是嫡表姊弟，加之有这一层的关系，所以也通信往来。我呢，不过是他小时两小无猜的玩侣，现在他对我有这种表示，我不得不拒绝了。我所以要拒绝他，在普通人观察下以为是他订婚了，可是我倒并不介意。我认为这爱字是多么神圣伟大！岂能拿订婚和结婚去圈定它的爱？只有一种玄理存在，绝不是拿订婚和结婚去表示的。我的见解是特别的，与普通女子的思想不同，我也不肯去占据他人的地位，做这样不人道的勾当，所以再三申说拒绝他的道理，并且告诉他普通男子的爱是与肉相连的，使他自己觉悟。谁料他的复信却说他自己更陷于悲境了，精神更痛苦了，并且他猜得我比他还要更深。他说他可以证明出我理智和情感冲突的苦痛。他说他的精神往后没有舒适的一天，这是多么悲惨的语调！我现在觉得没有办法，亟请先生为我解释一下吧。发表在《生活》报上或是来函示知，总望有一个良善的答复，十分的盼望着。

〔答〕我们在这封信的字里行间，随处可以看出去微女士的态度光明心地笃厚性情和爱种种美德的流露。女士说“我认为这爱字是多么神圣伟大！岂能拿订婚和结婚去圈定它的爱？只有一种玄理存在，绝不是拿订婚和结婚去表示的”，固含有很高的哲理，但哲理是哲理，事实是事实，照现在的事实说，女士的那位“小朋友”似乎非同女士“订婚和结婚”便要“陷于悲境”，固非此哲理所能范围他的心意；在女士呢，也“精神不宁”，恐怕非到和他“订婚和结婚”的时候这种“精神病”是很不容易好的，恐怕她的心意也非此哲理所能范围的。所以我现在不和女士研究什么哲理，是要根据事实对女士所提出的实际问题贡一点愚见。我们根本主张婚姻应以双方互爱为基础，反对机械式的强迫婚姻。依此原则而言，那位“小朋友”如认为十五岁时未得本人同意仅由父母代定的婚约为不合己意，他的钟情于去微女士并不算错，和先自恋爱一女而又移爱他女者不同，不过他如真爱去微女士，应先设法如何安顿十五岁订约的未婚妻，说得直截了当些，就是应先设法和未得自己同意的未婚妻解约。如果他没有这个勇气与能力，就不该贸贸然向去微女士表示那样深切的爱，使女士处于两难的地位。这是关于他的一方面的事情，我何必对女士提及呢？因为这与女士所应持的态度很有关系。去微女士嘴里虽说“我所以要拒绝他，在普通人观察下以为是他订婚了，可是我倒并不介意”，而同时却说“我也不肯去占据他人的地位，做这样不人道的勾当”，我虽非心理学专家，但照此语细想一下，以为“他订婚了”确是女士“所以要拒绝他的”重要理由——倘使不是唯一的理由。根据这个断语，我以为在那位“小朋友”没有与前女解约的决心与实行之前，女士不妨仍认他做朋友，仍和他通讯，在他尽管说爱，在女士则尽管暂时把自己立在朋友的范围里面说话；等到他有了与前女解约的决心与实行之后，如女士确认为他的爱是真诚的，他的品性是可靠的，而自己又是很爱他的，不妨“接受他的诚意”。总之此事须视男子方面有无发动的决心，在女士方面态度既定，只须静以待之，进退裕如，不必“精神不宁”。

以免未来的不幸

李亚丽

我现在是一个可怜的女子，亟欲求一个解决我目前困难的知己，然而我家庭里找不出一个可以诉苦的人，因为这桩事情，他们是主动，我是被动，所以他们那里肯来接受我的要求呢？我的家庭正是过渡时期的家庭，父亲是商界里一个很有名誉的人物，对于现在男女间的事情，一半是反对，一半是赞成，因为这样，便造成了我骑虎之势。我父亲有一个同乡朋友王先生，他有一个儿子，现在是在某大学读书，有一天“他”（即王某之子）到我家里来拜望我父亲，那时正巧我亦在家里，父亲便彼此介绍了一下，岂知不到一个礼拜，他竟直接寄给我一封羡慕我的信，里面再约我到他学校里去参观。我的双亲看了，（我们家庭的来去信札都彼此公开的。）便劝我说，现在社交公开，男女平等，彼此交了一个朋友，亦没有多大的妨碍。到底我被他们苦苦的相劝，因之我和“他”彼此便做了朋友，（恋爱二字谈不到。）到现在大约有半年多了，我才发现“他”的人格，“他”的举动，真是使我失望，以前的种种，是虚伪的，是诱异性的，因此我不愿意再继续同他做朋友，以免未来的不幸，所以他来约我，我亦不去，他写信来，我亦不复。这样的做法，我以为是很妥当，可以不使他感到失恋的痛苦（依“他”的），无形中使他对我的感情，一点一点冷淡忘却。可是我的双亲，绝对的不许我同他绝交，他们最大的理由是：“一个女子的爱情是要专一的，尤其是你同他曾经拍过一张双人的照片，很明显的表明，你们彼此已经承认是未来的夫妇，如果你真欲与他绝交，那么这双人的照片在他身边，将来你我的名誉或者很有关系，所以我们绝对不许你同他绝交。”唉！编辑先生，我们以前的家庭是很快乐的，现在呢，为了我个人的问题，彼此都像有一层阻碍。我现在呢，如果服从了双亲的意思，那么我前途的幸福，被那服从两字断送了，反对呢，双亲精神上不免加了许多的痛苦，于我自己方面，亦觉得难安。这真是骑虎难下，左右为难，我不得不恳求贵刊指教。

十八，六，十九。

〔答〕李女士对于“他”的人格发生不信任，并未举出具体的事实来，我们无从悬断。假定女士的“不信任”是正确的，她父母其初贸贸然的介绍，是做父母的卤莽之处；女士自己其初和他那样亲密，(“双人的照片”便是亲密的表示。)是女士自己卤莽之处。这种地方很可以给做父母和青年的人一个好教训，所以我们要提出来请大家特别注意一下。不过人谁无过，这种无心之错，虽属不幸，当然也不是做父母的和做青年的自己有意如此，不过我们以为既然发现错误，就须“悬崖勒马”，不应该将错就错的让他错到底。李女士和“他”做朋友，这本是很平常的事情；做了朋友之后，因发现错误，“不愿意再继续”，更不愿意选“他”做终身伴侣，这也是很平常的事情。现在李女士觉得“尴尬”的是“双人的照片”，这虽然是卤莽的举动，但比卤莽的结婚总轻得多，又不是“轧姘头”，对名誉也不见得有多大的关系，如“他”竟借此毁坏女士的名誉，则其心术更不可问，女士更不该因此卤莽的一张照片而把终身送入虎口。(照西俗发生此种事，受纪念品如相片及赠物之一方须将此等物送还对方。)所以如果李女士的“不信任”是正确的，我们绝对不赞成因一张照片的关系而迁就下去。女士应先把这个道理婉劝父母，万一父母执迷不悟，自己须有相当的勇气为自己的前途奋斗。当知将来嫁错了人，父母更“不免加了许多痛苦”，不如此时及早回头，以免永久的痛苦。

诱惑女子的魔鬼

李芷芳

我现在有一件事请你很快的赐给我一个解答，因为这事是我现在急于要解决的，并且与我的前途很有关系。

我是一个生在富贵快乐家庭的女子，我的父亲曾在广东做过好多年的师长，我的母亲也是非常的贤淑。他俩都把子女看做一律，所以有机会和我的哥哥一同受高等教育。在我十四岁的那一年，就被父亲送到南京的一个省立女子中学读书，我这时只晓得读书游戏，过我那快乐的生活。

光阴像流水般的过去，不觉已到了将毕业的时候。这一学期我们级里从苏州来了一位很美丽且善交际的章女士，她是安徽北部的人，她幼年时死了她亲爱的母亲，她的身世真是令人可悲，我一见她，就和她成了很知己的朋友。

那一年的夏天因为一位国文教员的介绍，一同考入本埠沪西的GC大学。我初到上海，人地生疏，所以出去进来总是和章女士取一致行动的。章女士有一位堂房的哥哥和两位妹妹都在吴淞C大学读书。我星期日有时也陪章女士一块去玩，久而久之，和她的哥哥也混熟了。他是一个浮滑的青年，诱惑女子的魔鬼，我是一个未经世故的孩子，不明社会真相的女子，经不住他用欺诈手段和香艳语句的引诱，竟使我和他通信了。以后便时常借着看他妹妹来看我，我因为看章女士的面子，总觉得不好意思不理他。他得步进步，去年夏天也转到我们的学校里来，因为改学分，假做南京N大学的转学证书，还闹了一场笑话，从此便天天在一起，竟被他进一步的诱惑，时常瞒着章女士，和他一同出去看影戏，到极斯非而公园去谈天。

章女士真是我唯一的良友，她不满意她哥哥的欺诈行为，她常常暗地里哭着向我说："你要爱惜自己的名誉，不要和他在一起，他的品行很不好，并且已经娶过亲了。望你早一点觉悟吧！"我当时对这忠告并不注意，现在我经长时间的注意和观察，晓得章女士的话一点都不错。他这种人那里可以和我作终身的伴侣呢？

忠诚的编辑先生！我现在觉悟了，但是用什么方法可以拒绝这魔鬼，夺回我的自由呢？请你在周刊上答复我，指示我一条光明之路。

我因为特殊的关系，不能把我的真姓名告诉你，并且碍着章女士的面子，也不便把那魔鬼的名字告诉你，请你恕我。

一八，五，七。

〔答〕我们觉得李女士所处的境地虽很危险，但她"现在觉悟了"，而且已有了决心"拒绝这魔鬼"，只要能坚持到底，便可避免危险。况且章女士又那样明白，以后李女士便不必"看章女士的面子"去敷衍那"魔鬼"。

女士问："有什么方法拒绝这魔鬼？"我们以为女士既有了觉悟，这"方法"似乎不很难，试列举数点如下：（一）章女士既那样明白而且忠诚，以后李女士宜恢复从前那样"出去进来总是和章女士取一致行动"，那"魔鬼"便无隙可乘。（二）以后千万不可再"瞒着章女士，和他一同出去……"，总之要绝对不要单身陪那“魔鬼”出去，这是最重要的一点。（三）虽是极知己的好友如章女士，当然难免有的时候要离开，那个“魔鬼”也许要乘此离开的机会来诱惑一同出去，此时当坚定主意，无论如何，不要出去，如“魔鬼”再缠绕不清，可以老实告诉他说，觉得彼此性情不相投，不愿过于亲近。这是关系自己一生前途的幸福，当以全力自卫，用不着顾到什么“不好意思”。（四）一方面可托章女士告诉“魔鬼”，老实说李女士无意于他，使他心冷。（五）李女士若有转学机会，和“魔鬼”远离，也未尝不是一法，但如此又须离开至好的章女士，而且害群之马何处无之？所以只要自己眼光准，邪正看得清楚，主意拿得定，不要自投罗网，此举并无绝对的必要。

在此新旧过渡时代，闭塞的风气渐除，而新道德及适应新环境的“识力”还未充分培养起来，做家长之训育女儿，及女子之所以自卫，最须常常注意用甄别的眼光来辨明邪正，自己要拿定主意，预防受骗，非俟真确深知对方的品格靠得住，以及他家族的详细情形，不可随便亲近。像李女士有这样的觉悟和决心，实在值得我们的敬佩。

理想中的一个伴侣

姚 拭

现在有一个使我疑惑在心的问题想请你和我解答一下。

我现在是个将到廿岁的青年人，在这个时期里的青年，他们都想找一个女伴，我何能例外？

因此，在我级的一个女同学竟给我爱上了。我爱她的缘故，是因为我观察她的情性是很宁静的，同时她的举动也很安详的。我觉得她是我所理想中的一个伴侣，因此我便存心要熟识她，所以对她常常注意。她似乎也注意到我，也对我表示好意——这是因为她常常对我做着一种妩媚的慈爱的笑容。我便以为这是她对我表示好意——更兼是同级的关系，我们便有了接触和谈话的机会。

从我们相交了一个学期当中，不幸在学期末的时候，她却害起缠绵的病来。我最关心的是她，自然天天要到她的宿舍里看她一次，我是抱着满心热血来看护她。不想，我所感觉到的她所给我的报酬是一种我认为淡然的表示，于是这便造成我心中的苦闷了。

学校是要放假了，我是一天一天地苦闷下去，终于在学校宣布放假的那一天，我便决定：与其这样苦闷，不如老实地将自己闷着的向她明白表示，看她怎样答复。

所以我写了一封信给她。大意是说：我和她已同学半年了，我很了解她的性情，很爱慕她。问她能够接受我底爱不？——先生，我这样并不是向她求婚的，不过是想和她由同学而进于爱侣的地位——而且我还说，学校是放假了，只要她给我一个答复，便可定我的行止，我的意思是这样，若是她能够接受我的爱的话，我便不回家去，住在校里看护她。

她复我的信说，她不敢接受我的爱，因为她在家时已和一个亲眷订婚了。我接了这封信，便失望地写一封辞别的信给她，马上搬行李凄怆地回家去了。

第二个学期开学时，她病好了，我看到她，起初总和她点头招呼，但羞于和她谈话。到后来，我觉得这可太痛苦了，便不理不睬她起来，但她常常看到我，仍然是做着一种妩媚的慈爱的笑。而且我看她的眼珠对我发出一种哀求原谅的光来。我觉得她这样太使我迷惑了，我竟有点恨她，以为她是不应该这样来引诱我，此后我遇到她便低下头来，眼也不去看她。

这真有点奇怪啊！自从我和她绝交之后，她竟又和别个同学做起朋友来，（先生，你要知道，她在学校是很少男友的。）常常还一对地在蜜语或散步。

这使我对她更是鄙视了。我的意思是：她既是个订婚的人，就不应该再来这样对待别个男性，（因为她从前要好的是我，现在的是别个他。别的男同学就不见她和他散步，谈话。这在外人看来，自是寻常的友谊。）使得别人对她迷惑了，而她自己是已订过婚的。

虽然她是和别个同学要好起来，而她遇着我时又总是很不胜情似的，不过我不睬她罢了。

先生！事实已说完了。现在你为我解答罢。她这种态度是否一个订了婚的女子所应有的呢？你以为她是不是因她的订婚是自己不满意的父母之命，所以仍想找一个爱人，故此这般态度么？你以为我对待她这样态度是对的么？

这封信若是你想在“读者信箱”上发表，就请你替我起个假名，并不要把通信处登上。到底我还不是个能打破社会束缚的人。

八，十。

〔答〕我们以为姚君是犯了“单思病”。他说“竟给我爱上了”，又说“我爱她”，可见他是有心爱她的，这似乎是无可疑的事实。但是她到底是不是也爱姚君，依姚君的观察，全是根据自己主观的猜度，你看他说“她似乎也注意到我……因为她常常对我做着一种妩媚的慈爱的笑容，我便以为这是她对我表示好意……”我们要知道各人性情不同，有的人生成一副赤扳的面孔，见着朋友也就是这么一副赤扳的面孔；有的人生成一副可爱可亲的笑容，见着朋友也常是这么一副可爱可亲的笑容，若以主观的成见来根据笑容作为爱我的表示，往往要钻入牛角尖里去。例如美国女子在交际场中尤其善于装作亲爱的笑容与态度，我国留美学生初入美境者往往以为对他有什么特别的意思，弄得梦魂颠倒，其实徒虚耗了不少脑细胞！现在姚君的那位女同学的性情如何，记者愧无所知，但她既老老实实地承认不敢接受姚君的爱，无论她的托辞是真是伪，但姚君有心爱她，她实无心爱姚君，这是无可怀疑的实在情形。我们主张“爱侣”之成应出于双恋——即出于两方自己愿意。若仅有一方愿意，愿意者不应勉强，至多可借友谊的继续，用诚意感动对方而引起她的愿意，倘此层无效，便当废然思返，泰然搁置，不必苛责对方，亦不必自己烦恼。记者敬以此意贡献给姚君及与姚君有同类境地者。

此外还有两点要答复姚君：（一）订过婚的女子未尝不可有男友（请参看《和男同事在一块儿》一文），至已订婚而对男友求爱之是否确当，须根据原有婚约是否出于自愿，未可以一概论。（二）姚君的那位女同学不和姚君断绝，也许是不愿做“爱侣”而愿做普通的朋友，所以姚君的“不睬”态度，我认为未免度量褊狭，实在可以不必。

难于应付

李竹芬

在两年前我由友人的介绍认识一位D君，在我也不过当他普通朋友一般看待，所以经过了两年多的友谊，我对他总没有超出朋友的范围，不过他却像已拿我作为终身的伴侣了，而且曾几次向我表示过，我始终没有答应他。最近他竟向我的家庭提出议婚了。我的家庭是很赞成他的，当然没有不答应的道理，不过我却不赞成。第一因为我和他虽然经过了两年多的友谊，彼此间也有了相当的认识与了解，但是我未曾对他发生过爱，虽然有时也会对他发生些好感，那是他对我用情的反应，经过两年多的深切的友谊，照常理说，似免不了要发生“爱”，不过我对他无一些的爱，究竟不能使我有答应他的可能。第二，他的人品，地位，学问，经济状况都可说是很优的，至少也很难得的，不过有一样我不满，他的脾气有些过火，容易急躁（当然他并不像暴徒的那么胡闹），可是我的脾气是怕躁的，所以这一项在我的选择中也认为必不可有的。第三，并且他和我交友以后，曾经和他家中大起反抗，把从小入门的童养媳用金钱打发走了（现在这童养媳已因郁抑而死了），如果我做了他家媳妇，自免不了受家长亲戚的指摘，兼之他家里父母双全，弟妹众多，他是长子，做长媳的人一定很难（况且我还是个不善周旋的人），弟妹众多，更难周旋。有以上几种原因，我决不能答应他的要求，不过我的难问题就在这里：（一）他说过如果我不嫁，他也不娶，总要达到目的为止；他的来信也重复地说过，我看他的神气也断定他会如此的，我本来早就想和他断绝，免得他烦恼，但是他是极富于感情的人，我一旦和他断绝，恐怕他会走入消极之途，与他的前途有关，我虽然不怎样爱他，可是我也不愿害他，所以我现在还不敢绝对的拒绝我们的友谊。我们现在还是照旧地通信，不过我想这总不是长久之计。（二）他家里常催促他要他结婚，而他还是固执着要等我。照他的年纪说，也正在结婚的时期，他这样一来，弄得我常常不安，虽然我没有什么对不住他的地方，但为我设想总是不安的。我曾劝他数次不要再如此固执，劝他去交别的异性朋友，而且我还要介绍朋友给他，无奈他总不要，即使交了朋友，也不合意，因为这两层关系，我真是难于应付了，委实解决不来，请先生指导我一个适合的办法吧。因种种关系，请你径复，如在《生活》上赐教，务请勿将真姓名与地址登出。此请撰安。

五，五。

〔答〕婚姻不是慈善事业，也不是应酬品，倘若自己觉得不愿意，只须未曾和对方表示过接受他的爱，绝对没有必须答应的责任，而且不应该随便答应以贻终身莫大的遗恨。照李女士此信所说情形，我们要奉劝她毅然决然地明明白白地婉谢对方的请求，说明做普通的朋友则可，绝对不愿做夫妇。如对方不明白婚姻要完全出于各人的自愿，不应勉强以贻后悔，即跑到消极的路上去，女士在道德上绝对不必负任何责任的。倘若如此，他是自害，不是女士害他的。婚姻要在事前审慎，要拿得定主意，如贸贸然结了婚，即受法律拘束，倘有问题，便极难得到圆满的解决办法——简直可以说没有圆满的解决办法。

很惭愧

洪明珠

我真是一个天下最不幸的女子！我读贵刊“读者信箱”的几个自称为不幸的女子的不幸事，我每次觉得她们真是比我幸了数十倍啊！唉！天下有可怜的女子，但没有像我这样的可怜！

我是一个将近二十岁的女子，而对于男女中间的爱，我自信是已经懂得了。在今年的春天，我由朋友的介绍认识一个男子。当我第一次看见他的时候，我的血脉跳动得很快，而脑筋同时告诉我他是世界上最漂亮的男子，他除了很好看以外，还有一对迷人的眼睛及令人百看不舍的一个嘴，他的眼睛和嘴非常的活动，而我的神魂也随着他眼睛的活动而飞去。现在我对于他可爱之点不必多说了，不过我也不必骗先生，我在第一次见到他时，已把我的爱全部施在他的身上了。但是，很不幸的：他是一个才十七八岁的小孩子，而他时常显出天真烂漫的样子，我虽然相信女子比男子多一两岁也是可以结婚的，但是我每次对他表示意思时，他总是装作不懂的样儿。我写信给他，他虽是回，但是说着很平常的话。一直到了现在，他还是这样的，而我所受的苦也可算够了，十七八岁的男子是会懂得这种事情的吗？我曾听人说，有一种人是没有男性，也没有女性的，他可会这样吗？我还要请先生告诉我为什么他有这种迷我的大力量呢？先生！我以为这是一件很惭愧的事情，所以不能把真姓名告诉你。

十，十四。

〔答〕洪女士觉得她所提出的是“一件很愧惭的事情”，其实选择终身伴侣是一件很光明正大的事情，用不着什么惭愧。她又觉得自己那么可怜，其实在选择的时代正是最有希望的时代，何必那样悲观？现就愚意所及，答复如下，以备参考。

（一）女士问：“为什么有这种迷我的大力量呢？”其实她自己已替自己答复了，就是她所说的“脑筋同时告诉我他是世界上最漂亮的男子”。审美观念是人类所同具的，女士因此而“血脉跳动得很快”，并不能算是“一件很惭愧的事情”，不过选择终身伴侣的条件，除了貌之外，还要注意对方的品性，志趣，学识，健康，及经济自立之能力等等，老前辈对于子女的“终身大事”往往觉得“貌”是毫无关系的，我觉得一个人常常对着一个自己不愿意看的面孔及体态，也是一件很苦痛的事情，不过我们却要知道“貌”不过是几个条件里面的一个，不可一时为“貌”所迷而忽视其他重要的条件。

（二）女士称“十七八岁”为“小孩子”，其实可以算“大孩子”了，对于这种事情应该“会懂”的，应该“会懂”而犹“装作不懂的样儿”，也许是“落花有意，流水无情”，婚姻应基于双恋，如他并不恋女士，女士似不必急急的要勉强他，尽可宽以时日，继续的和他做朋友，看他的态度怎样。由单恋而慢慢的做到双恋则可，对方并不恋而勉强从速凑合，就是合成，也恐怕难得好结果。

（三）女士疑他是“没有男性，也没有女性的”，换句话说，就是半男半女，这是也许可有的事情。倘若他真是因此“知难而退”，正见他有“自知之明”，女士更不必懊恼了。

肉麻以后

烈　中

余前年自K埠为着自己前途而回国来沪升学，旅途经S埠。我勾留S埠亦不过一月之久，此时萍水相逢，由我昔日的男朋友介绍认识了一位L女士，这位“密斯”的面色和学问等等都还不错，确实能动我的春情。那时我虽万分的爱她，但自己心里头也不敢十分的表示出来，不过这时间我总共和她坐谈过二三次，彼此也很规矩的，很客气的。后我动身来沪的时候，她也和我的朋友一齐送我到船上来，这时我真是万分的抱歉，我想我这渺小的人儿，怎么值得这位西施般的“密斯”来费心呢！数日后船已抵沪了，我抵岸后，赶快就先写给一封信去感谢她。又一周后，我名不落孙山于C大学，进了校后，我连寄两封平信给她，里面也是很客气的话。

我这两封信寄了后，她就复回来，信里面不过说："你寄来的信均已收到，适没闲空早日复你，原谅！"经过半载至暑期的时候，她又忽然写了一封信给我，里面说本暑期她欲来沪升学，并嘱我代索数校简章，我依命把这数校的简章索来寄去，过后她因事未果未来。至旧年七月间我又忽然接到她由F埠寄来的一封信，说她已与数位女友偕同投保姆学校云云。所以我接到了她这封信后，并经过了许久时间后，老实不客气的我，以后通信的时候开首就称着"可敬爱的"，里面也谈了情语不少，自此过后，她也称着哥哥了，妹妹了。过后的许久通信，比此更肉麻的情话也谈了不少，对她也赠过了几次东西，她嘱我买的东西我也马上寄给她了，像片彼此也互相交换过了。今年暑假我也准备要回S埠和她会晤了，竟不料于本年二月时突然得着我从前认识的那位男朋友寄给我一封信，里面说起他刚与L女士订婚了，L女士并在信尾署着她的亲笔名字问候。记者先生：我有生以来，从未与异性朋友接触过的，所以我自和她认识后，情苗渐此滋长，霹雳一声就此受着酷烈手段的摧残。而且她也没点滴字语来安慰我，在这无形中自己的情苗被夺去的失望，想想罢！这样的无情女郎，换句话说，“高等拆白党”，试问良心何忍？面目何在呢？记者先生，我受了这回的重大打击，想了三四次，都想死于江河，葬身鱼腹，现在虽躯壳尚存，而心已死了，日间对于功课等也是非常消极了！种种都是有生无趣极了！尚乞先生有以教我，不胜翘企感谢之至。

二十，四，十四。

〔答〕L女士的此种举动如出于戏弄男朋友的动机，其心术当然要不得；即出于选择的意思，姑认最初是诚意要烈中君，后来也许觉得烈中君的“从前认识的那位男朋友”更有可取，所以舍此就彼，这种选择态度，只须在“未决定的时期”以前，我也认为是无可訾议，不过有一点很重要，我也屡次在本栏提起，就是“选择时期”和“决定时期”要分清楚，在“选择时期”不应遽有“决定时期”的行为；既在“决定时期”也不应复有“选择时期的行为”——除非临时发现对方有很大的缺憾，为终身前途幸福计而不得不力谋补救的事情，那是例外，又常根据特殊的具体情形而另作考虑。L女士其先对烈中君若即若离不肯十分亲密的态度，换句话说就是仅有寻常朋友的态度，可以说是尚在“选择时期”。这种态度我们不能说她是错的，因为尚在“选择时期”，原不应该表示十分亲热的态度，否则容易引起对方的误会，以为你真有意于他，把他的爱交给你，弄得你进退两难，不过她后来到了甜蜜蜜的称着“哥哥”，自称“妹妹”，更“谈了不少”“比此更肉麻的话”，那便是走进了“决定时期”，到了“决定时期”，便是自认经过无数次的审慎考虑而不必再有所考虑的时候，再说得直截些，便是已经“决定”而不必再加“选择”的时候，到了这个时候，当事人实行“肉麻”，我们也不能说是错的，L女士的错，是错在“肉麻”之后，即对烈中君表示“决定”态度之后，已经接受他的爱之后，忽然又做出“选择时期”的行为，对烈中君连招呼都不打一下，这是过于残忍的行为，是我们所十分反对而鄙视的——除非L女士能举出十分充分的不得已的理由。

人是感情的动物，烈中君“受了这回的重大打击”，感觉“失望”“无趣”，亦是人情之常，我们愿表示十分的同情与惋惜。但是人也是具有理智的动物，在感情方面受到过分刺激痛苦时，应该请“理智”出来帮忙。

从理智方面着想，记者要提两点出来奉告烈中君：（一）烈中君初意当然是要获得一位有真情的女郎做终身的伴侣，如今L女士受他那样诚挚的待遇，既已表示亲密，一旦弃如敝屣，可见她并不配享受烈中君的钟情，现在既有此一回意外的事实证明她有此缺憾，使烈中君彻底明了她是怎样的一位“无情女郎”，或甚至于如烈中君所谓“高等拆白党”，比之未发生此事实而烈中君仍糊里糊涂的迁就下去，当然此胜于彼，在烈中君正所谓：“塞翁失马，安知非福？”就此方面言，也未尝不可说是不幸中之幸事，烈中君又何必为此不值得爱的女郎而“失望”“无趣”，甚至于“想死”呢？那未免太蠢了！（二）恋爱虽可算是人生的一件大事（较远的将来如何姑不论），但决不能概括人生的一切，即打破情网之后，未尝不可摆脱一切，专心于学业，工作，或事业，贡其身心于人群，或将来有机会时更可寻得相当的伴侣，何必就因人生中的一件事而把全部人生送掉呢！

多恋主义的张女士

乐　天

我是一个在求学时代的青年，在去年的时候，认识了一位张女士，她是和我同学，而且同级同组，所以我俩相见的机会很多，可是在起初的二个月中，彼此还没有招呼过；当时我正在本组的组会里当主席，因此全组的男女同学没有一个不知道我的姓名，我当然最早就认识她的。从理性上想来，她应当也认识我了。每逢在教室内上课的时候，她老是回首向我顾盼，我有的时候恰巧也在向她凝视着，我俩视线偶一接触，她总是向我微微地一笑，这的确是我无上的光荣。有一天星期六的午后，旁的同学都回家去的回家去了，到马路上去玩耍的玩耍去了，静寂的教室中只剩着她和我，这时我们二人就趁这个机会开始谈话了，这也就是我俩第一次的谈话。后来我俩由直接的谈话之外，因人多不便，更加以书信的往来，由同学而进为情爱之关系。在那时她非常地待我忠实，我也十分地爱她；我想这个时候大约是所谓“心心相印”了。

不幸在去年的秋天，我观察她近来对我的态度渐渐趋于冷淡了！后来我风闻她已经与S君结为知己，公园和影戏院中时有他俩的足迹，我听到这一个不幸的消息之后，使我半信半疑，然而我始终不信忠实的她竟会如此的变心，我暗中想旁人传来的消息，未必正确，况且S君又是我的挚友，我想不妨写一封信问问他究竟有无同张女士发生恋爱的事实，果然承他很忠实地告诉我张女士同他发生恋爱及其经过，我到了这个时候，刚才相信外传的话是确实的。

我是素来反对多恋主义的人，我以为神圣而纯洁的恋爱是专一的，永久的，我听到了这个不幸的消息之后，就想和她绝交，可是若续若离的她，仍旧不时的芳笺时赐，因此我想绝她的念头，慢慢儿消失了！

多恋主义的张女士，我不知道还是同她绝交呢，还是仍旧同她做一个文字之友呢？务希先生在“读者信箱”内指导我，那我就感激不尽了！

〔答〕在有正当的社交公开的社会里，女子交得许多男友，再从特别要好的几位男友里面，选择一位做自己终身的伴侣，终身伴侣只有一个，而特别要好的男友也许不止一个，则择定了一个终身伴侣之后，对于其他要好的男友当然不必“绝交”。就这一点说，张女士也许择定S君做她终身的伴侣，而把乐天君排在“要好的男友”之列，则她一方面仍不绝乐天君，似乎不必一定把恶意去猜度她，尽管仍和她做朋友。

一个女子在未十分决定所选的人物之前，也许对于几个最称心的人物里面再要用些甄别的工夫，有所取舍。如今张女士既未与乐天君正式订婚，忽舍乐天君而择定S君，安知她不是由比较而发觉对乐天君有不调洽之处，在S君却有较优之点，于是舍此就彼，以免未来之缺憾。就这一点说，乐天君的态度似乎尽可以这样：你在他我之间考虑比较之后，如确觉得他较胜于我，为你自己终身大事计，选定他就是了，如你仍要我做一个要好的朋友，也无妨。如乐天君采这样的态度，似乎不必一定把恶意去猜度她，尽管仍和她做朋友。

关于上面所说两段的意思，我还可以举一个例。我的朋友里面有一位姓何的，有一位姓王的，都是男子，还有一位姓傅的是女子。他们三位都在美国留学，傅女士先认得何，继认得王，她和他们两位都成了非常要好的朋友。有许多认得傅女士的人，都说她将来的“他”就是在这两人里面再抽出一个。后来她嫁给王，那位“落选”的何君仍是她的异常要好的一位朋友，和他们夫妇（即王与傅）的家庭仍时常往来，并没有什么绝交的事情。傅女士嫁后仍有许多地方请何帮忙，把他当作一位“顾问”。（现在何君已与另一位留美女同学结了婚。）

以上所说的话，当然是用好意来猜度张女士，如用恶意来猜度，也未尝不可以说她“见异思迁”，“二三其德”。而且也要看乐天君和张女士的恋爱程度到了什么地步，如果已到了焦点，而且对方已表示专一的爱，那么一旦“失恋”，在感情上当然不免一种很大的打击，但是我们仍希望他把理性来克制感情，如觉得我们上面所说的话可供参考，不妨“仍旧同她做一个文字之交”，不必一定要“同她绝交”。

热吻后的烦扰

徐伟成

吾的未婚妻虽然定了，因为受家庭中母亲的旧礼教的束缚，所以使吾一时不能和她亲近，青年们在十七至十九岁的时候，他们的情苗已经逐渐开放了，性欲也慢慢儿的发动了，心中时常觉得异性的可爱。

此时十九岁的吾，春情怎能不发动呢？因异性的可爱和性欲的冲动，才使吾这事体难解决了。

当吾未订婚的前一月，吾爱的她（是另一女友，不是未婚妻）已与吾恋爱到很高的程度了。她是一个中学生，学识很丰富，面貌也非常漂亮。我所欲的事，她都能领会吾的心，所以吾和她常在影戏院玩着，借此增加吾俩的热烈爱情。

那知本年三月里吾家庭中却忽然的与吾订婚了，此时的吾，因受家庭中的压迫，竟不敢回绝，就此答应下来，而吾的心中却非常的怨恨，不知这吾的她（未婚妻）可有那般柔顺的性情和美貌的鹅蛋脸儿。

有一次，吾因受亲戚的约，往重庆路去吃酒去，听见吾的她（未婚妻）也在其中。这时吾当然要看个明白。觉得她的性情也很和顺，面貌也很不错。并且听说她也是一个中学毕业生，学识也很丰富。啊呀！这事吾可难了。吾和吾恋爱的她虽然没有什么性的关系，可是我们的热吻却已经直接过好几回了，当吾与她狂吻到热烈的时候，吾也就不迟疑的向她求婚。她呢，因为见吾志同心合，也很愿意的与我做一家人，白头偕老。现在忽然走出一个吾的她（未婚妻）来，而她也很可爱和可怜，那么这事叫吾怎样办呢？吾如丢掉未婚妻去迎恋人吗，觉得未婚妻没有罪过。并且又是母亲的命令，吾怎可违背呢？如欢迎未婚妻而抛掉恋人吗，回忆吾和她从前的种种，她很一心的对待吾，叫吾怎能下此决策去断绝呢？不知先生肯否开导我徘徊歧途上的人？登在“读者信箱”里也好，或寄回音来也好。

〔答〕我看了徐君这封信，要说一句得罪徐君的话，就是他的行为太卤莽，太怯懦。怎么说太卤莽呢？异性朋友就是心里蓄有选择终身伴侣的意思，但也应分清楚两个时期，一是方在选择的时期，一是已经决定的时期，在选择的时期内，备选的对象当然可以不止一个，就是只有一个，在选者此时如仍有不十分称心的地方，还可以静待其他比较的机会。不过有一点很重要的，就是尚未决定而在游移考虑的选择时期，不可过分亲热，如热吻狂吻之类的事情。我说这句话，并不牵入什么道德问题，如两方确已言明，只做朋友而彼此并无想做夫妇的意思，两方仍愿意大吻而特吻，出于两方的这样的同意，那么虽未有什么决定（在这种情形之下，本不想有什么决定），尽管大胆的热吻狂吻。如果对方和你接吻的异性心里是把你这一吻作为订婚的开端，那么倘若你心里尚未十分决定要和对方（尤其是她）"白首偕老"，我要劝你的嘴唇慢点伸出去！为什么呢？因为这是决定时期可有的行为，不是选择时期可有的行为。在选择的时期，你不中意这一个，却中意了那一个，你换了中意的而远了不中意的，还不至伤及被远者的心。若既入了决定的时期，有了决定时期的行为，一旦弃其旧而新是谋，便要使被弃者伤心。《随园诗话》里有过这两句话："劝君莫打同心结，一结同心解不开。"我并不劝人"莫打同心结"，不过要劝人不要随随便便的"打同心结"，因为"一结同心解不开"，就是不至于绝对的"解不开"，至少是不易于解得开，或不能不感觉苦痛的解得开。如今徐君不免仍存选择的态度，从前就不该卤莽做决定时期的行为，所以我说他太卤莽。

怎么说徐君太怯懦呢？我常说没有血气没有义勇的不配讲恋爱，尤其是在这样新旧思想冲突的时代，如要享受相当的自由幸福，必先具有相当的奋斗精神。徐君既自认和某女士（非未婚妻）有了"热烈的爱"，那么在本年三月里他的家中忽然和他订婚，就应该拿出奋斗精神，乃竟胆小如鼠的"不敢回绝"，我觉得这实在是伧头的行为！（就事论事，请徐君切莫见怪）。所以我说他太怯懦。

徐君的卤莽已经卤莽了，他的怯懦也已经怯懦了，我还要这样说了一大堆废话，无非要乘此机会提出来谈谈，希望未蹈徐君覆辙的人以后留神些。这些废话和徐君所要解决的问题的"解决"上面，当然没有什么直接的关系。

最后我们要谈到徐君的问题应该怎样解决的一回事。徐君目前所要待决的问题，简单说起来，就是:“应娶名义上的未婚妻呢，还是应娶恋人呢？”照平常的情形讲，我们既认爱是终身侣伴的要素，我们当然主张应娶恋人而设法把名义上的婚约解除。但是我们对徐君却不敢作这样的主张，因为他对于某女士（非未婚妻）虽号称恋人，实在并无真正的爱。何以见得？你只要看他还是维持一种选择的态度，并没有决定的态度；你只要看他一见了名义上的未婚妻还未和她谈过，就三心两意。这种“浮萍式”的爱而可称为真爱，那么天下最靠不住的东西莫如爱了。所以即为某女士的前途幸福计，如果她来征求我们的意见，我们也不敢劝她嫁给徐君。在目前如徐君“抛掉”她，她在精神上当然要暂时引起一番苦痛，因为她也许以为徐君是真正爱她的；但在实际上徐君既不是真正的爱她，如真是嫁了他，将来的“苦痛”也许要更久更大，还不如现在未正式订婚以前就彼此爽爽快快的分开，在某女士所感的“苦痛”还可以短些小些。

这样说起来，徐君只得娶名义上的未婚妻了。但是我要声明的，我并不要劝徐君娶名义上的未婚妻；如果他只得娶名义上的未婚妻，那是因为他既未曾真正爱上了某女士，又无奋斗的胆量，讲不到真正的恋爱，只有马马虎虎的依着俗例结婚罢了。

我写到这里，觉得话说得太直率了，太老实了，也许有不免开罪徐君的地方，但是我不过用客观的态度就事论事，所说的话也许有不中听的地方，却仍是用一番诚意说的，希望徐君特别原谅。

不忍对不住她

张　异

编辑先生：我不相信世界上竟有不能解决的事，不过“难”，有时确要感到的。我友某君不多几日前给我一封长信，是关于他的婚姻问题的，问我有没有好的解决“方法”，（他只是问方法。因为他的心确已坚决了。）当日我照了我的意见答了他。不过我觉得也不能十分满意，所以写这封信请教你。

这里应当先把他的事情简单的讲一讲。

他早有了爱人，但因为当日年青，又处在绝端旧式家庭的下面，所以奋斗失效了，到底在专制婚姻制度下结了婚，到现在却已有了一个小孩子。

他是终究爱着他的爱人。但是他的夫人，受过中等教育，的确是非常贤慧的一个女子，当她的丈夫全把心事说给她听时，她觉得非常同情，尤其是因为一向同居以来她的丈夫为了想起爱人很悲哀地饮泣，惟有她最知道他的缘故；但是她只是同情，不能因同情而更进一步的把自己牺牲，这是因为她也非常爱了她的丈夫！

于是这件事更太难了。他更觉得苦恼，他因为要和爱人不再尝别离的痛苦，要结婚，那么和一方面势必离婚，但是他的夫人太好了，好得使她的丈夫极感动；而且他的夫人还对他说："要是你不爱我，使我受苦，我不如死。"这样使得他更不忍对不住她。而在他的爱人呢，自然也不能把四五年的爱情容易地随便忘记，而且立誓非某君不嫁。简略的事情便是如此。

某君的来信说……我现在是已坚决了，我不能和我的爱人分离。至于她（指他的夫人）我不是要牺牲她，我并且很不忍，难过……但是事情不能两全的，让旧社会的婚姻制度负这个责任罢？——我只能把心肠硬起来，先行我的"疏远政策"，不过这也不过使她伤心罢了，因为她也知道，看得一切都明明白白的。

编辑先生，这件事你看真怎样解决好呢？

我告诉你我当日的复信：大意我是说……由你信

里，我知道你的夫人是一位新女子，是有清楚脑子的女子，只是她的缺点，便在太怯懦，所以也许她有心成全你们，却不能做到。你的决心努力于恋爱的胜利，是极可祝福的；不过，最好要顾到你的夫人，最好使她再升学，预备她将来能够自立，你再随时和她解释你的意思……不过你俩的结合得再等几年。

我不晓得这个是不是一个好的方法。不知先生更有更完满的解决否？乞你不吝赐教！我的朋友当异常感谢你！

〔答〕我们觉得张君的朋友某君既有了爱人，可见他和一般不知不觉中上旧家庭代办婚姻老当的人不得“相提并论”，既然自己没有勇气为“恋人”奋斗，贸贸然和别个女子结婚，这件事他在道德上应负责任，决不能完全“让旧社会的婚姻制度负这个责任”，把自己的责任推得干干净净，他若以此为借口，而害了他那位“非常贤慧的一个女士”——“使他……极感动”的夫人，便不免自伍于专顾“自私自利”的鄙夫。我们以为在目前的中国状况，“使他……极感动”的夫人一旦离了“她也非常爱”的丈夫，比他没有勇气保留的“爱人”的苦痛，厉害得多；因为前者很少再得恋人再嫁的可能，而后者大有再得恋人再嫁的可能。

太痛苦了

汤芬仙

我对于贵刊十二分的崇拜，尤其是“读者信箱”给我许多知识，我真说不出感谢的意思。我近来心绪纷乱，兹附上通讯地址，只求能够给我一个答复的回报，实感激之至。

我是受了中等教育的女子，在两年前就因失恋而消极了，失恋的原因，是我的对方，有种种的恶习，我自愿和他决绝。自此以后，我就感觉人生乏味，抱了悲观的思想并且自杀过，终因家中发现而劝解以免。到去年春在一机关内服务，又交识了一个男子，可是他很知道我的过去，对我加以怜悯与同情，我们就成了一个精神上的好友，后来竟因友谊而进于恋爱，可是他已娶了妻子，并且有四五个小孩子，对于我与他的感情当然是不忍抛弃，但是他对他妻子也不忍离掉，并且还是对待很好，所以直到现在还是一个不得解决。我当然不能与他结合，因为这是要受多数人的批评的，倘若不结合，他对我是深爱我而可怜的一个人，我实在是太痛苦了，无处求答复，只得求先生指示，还是脱离的好，还是不脱离而结合的好呢？

还要说的，我的家庭是不得许可的，我那时能结合还要牺牲家庭。就是现在的生活，我家庭也不能担负，全靠自己工作来维持。所以我厌世，总想自杀。我虽然还是一个廿岁不到的青年，不过照自己的境遇看起来实是愿死不愿生。我十万分的恳求先生于信笺中急复我。

九，一八。

〔答〕这封信汤女士虽叫我们径复，我觉得内容有公开与读者的价值，便略去地址，改用假名发表，一面另函请女士看本刊上的答复。

我常觉得现在固有许多男子对于妻子毫无爱情，不过为人道主义计，不忍离异，只得糊里糊涂的过去。所谓“人道主义”云云，最重要的还是对方女子无自立的能力，因此更无自由的思想，只求有饭吃，有得倚靠，对于丈夫并不觉得有什么不满意的地方（能自立有思想的女子对于无爱情的丈夫当然要觉得不满意）；但是也有许多女子对于丈夫心里虽感到彼此貌合神离的苦痛，也因为自己无自立的能力，虽明知没有爱的结合是苦痛的，也只得忍耐下去。我因此常觉要免除无爱情的结合的痛苦，所要改造的方面固然不止一端，最重要的还是个个女子都要养成可以自立的充分能力，庶几合得来则合，合不来就可以靠自己的本领而脱离苦海。现在汤女士说她的“对方有种种的恶习”，我们未悉详细的情形，固然无从判断，但汤女士觉得对方不满意，竟敢“自愿和他决绝”，未尝不是她有在社会上“服务”的能力给她的胆量。我觉得这一点正是汤女士可以自豪的地方。

汤女士既有了这样可以自豪的地方，仍不免“感觉人生乏味，抱了悲观的思想”，我以为这也许是由于女士对于人生及应付问题方面都缺乏一种正确的态度。

两性恋爱不是可以包括人生的一切，所以我们有恋爱的机会固属幸事，一时未得到这样的机会，或甚至一时失望，还是可以做人的，还是可以用我们的精神才力于事业的。

讲到应付问题，我们应该就事实作详慎的考虑，如一时解决不了，应该给以较长的时间，不可过于性急。现在汤女士急于待决的问题，是爱上了一个使君有妇的人，“还是脱离的好，还是不脱离而结合的好呢？”我现在略贡几点意见如下：（一）我们做事只要合理，原不必怕“多数人的批评”，所以女士之能否和“他”结合，我并不注意在“多数的人批评”；至于“家庭”方面，女士既能自立，我以为“牺牲”也无妨；我却注重在“他对他妻子也不忍离掉，并且还是对待很好”，则“他”并未有娶汤女士做正式夫人的决心，就是他要娶汤女士做正式夫人，既不愿抛弃原妻，在事实上是不可能的，这是事实上的阻碍，不是空言所能解决的。在这种情形之下，如汤女士只不愿和“他”同居，非我们所欲论，如要做“他”的正式夫人，恐怕在事实上办不到。（二）在事实上既恐怕办不到，难道只得“脱离”吗？我以为“脱离”如是断绝交情的意思，可以不必。“他”既是汤女士的一个知己，在事实上如难达到做夫妻的心愿，女士还可当“他”做自己的“大阿哥”，仍可互慰互助，“与他的感情”仍可不必“抛弃”。在女士是个“廿岁不到的青年”，选择爱人的机会尚多，很不必“愿死不愿生”。(三)女士的“痛苦”我们固然很表同情，但是既有服务社会的能力，即此事一时不能解决，又不愿抛弃，亦宜宽以时日，静待有无相当之机会，决不可那样性急，以致先把自己的心弄糟，这一点我们也希望女士平心静气的加以注意。

害人精

汪心清

我是一个旧式大家庭中的弱者，我六岁的时候，侨居在一个风化不开通的江西，一班好事者最喜替人做媒，渐渐的替我做起媒来。我父亲深信了害人精媒婆的话，便把个六岁天真活泼的孩子的幸福葬送了。那时候我不知道宇宙间的一切，也不知什么叫做婚姻，终日寻着几个小朋友过那快乐的生活，过了八年，十三岁的那年，渐渐的走入痛苦的网里去。我亲爱仁慈的父亲竟长辞我们到天堂去了，那时的痛苦也写不出，自先父逝世以后，渐渐听到先父在时已经替我和某姓订婚了，我心中就很不愿意，又因常见旧式婚姻所受的痛苦，一年一年很速的过去，我的烦恼就一天一天的近了，不觉得又加了三岁，这时候母亲才开始和我说："你父在时作的主，把你许了某姓做媳妇，现在你父亲逝世了，只遗下你哥哥和你姊妹俩，昨天某姓来信定了今年十月的喜期。……”我听母亲这样说，好似冷水由头倒下来，不由自主的眼泪和雨一般的往下流，再也忍不住了，硬着头皮和母亲说：“你老人家要知道现在的婚姻是绝对要经本人同意的，并不是做女儿的不遵你的命，实在这事是有关我终身的幸福。”这样的反抗了几次都无效，反给别人传为话柄，因为我所居的地方人很多，差不多有百余人，都是自家人，如叔婶之辈。我和母亲反抗时所说的话都给他们听见了。母亲和我的性都很急，一说就发火，说话的声很高，所以常常被他们听见，他们以为这是无耻的事，并且说了许多不入耳的话。他们还疑心我有许多不堪告人的事。编者先生，现在我也不怕先生见笑，只得和先生说了。今春我嫂嫂有一位弟弟从远处来，后来就和我家同居在一起，最初我很怕羞的，一见了他，脸就红了，以后渐渐的熟起来，他时常来我嫂嫂房里坐，他的性情很温柔，待我很好，他常常说爱我活泼，可是他已经有了他的她，这事使我时常伤心。她待他很好，真是无微不至，他和她也很好，但是因为痴心的我爱了他，他也特别的爱我，很引起她的妒忌，管得他很紧，他到那里，也跟到那里，并且时常和他吵闹。我最不忍的，每逢听到这个消息，我的心就碎了，气得呆若木鸡，几天不忍见他的面，他见我这样子也很难受。为了我一个人，害得他的家庭吵吵闹闹，我心是如何的不安啊！几次都想硬着心肠割爱，不到几天见他那可怜的样子，已死的心又复活了，这样的过了几时，终究还不能死心，现在一步一步的逼紧了，硬要十月里逼我出嫁，嫁与一个素不相识的人！我真觉得走头无路。

编者先生，还有一件事要告诉你，就是我的胞兄无一点手足之情，我母亲又充满了轻女重男的心，我几次求我哥哥替我想想法子，谁知他反和母亲说了许多坏话，他大概以为我不速嫁，于家产有碍，因为我先父遗产有二三万，怕我分他的家产，所以极力的要把我糊里糊涂的嫁出去，我一个十六岁的女子，如何能抵抗许多人呢？唉！为了万恶的金钱，同胞的情都失却了啊！倘蒙指教，请先生回信救救我这个弱女子，并且请直接寄……因为如寄到家里，给他们见了又有危险。

八，十七。

〔答〕这封信是由南方某省省会寄来的，汪女士本有详细地址，希望我们径复的，我们以为这封信很可作为顽固父母及大家族中黑暗情形的一种写真，所以把真名改去，地址亦略去，把信公开刊布出来。横竖汪女士是本刊的读者，这个答复，想她自己一定也看得见的。

汪女士所处的境地，可以说是含有很复杂的性质，她陷在大家族的重围下，母亲既重男轻女，阿兄又重财轻义，她自已被老父从小订给人，她所爱上的又是一个使君有妇的阿嫂的弟弟。现请就管见所及，答复如下：（一）爱上了使君有妇的人，是一件最麻烦的事情，因为对方非把原妻离婚，便不能娶你；要和原妻离婚，又要经过一番很麻烦的手续，甚至须有很大的奋斗或牺牲。如对方对于原妻本极冰炭之不相容，则想法离婚，犹可说也，今据汪女士所说，对方的“她待他很好……他同她也很好”，则欲离婚，为势更为不顺了。在此情形之下，女士最好能另行择人。（二）未征求本人同意的婚约，确是父母的罪过，但事已至此，不知女士能否设法探悉未婚夫的品性学识等等，如探询的结果认为可取，也未尝不可容纳。（三）如认为非拒绝不可，则就法律言，未成年时由父母专擅所定的婚约，如至本人成年后不同意，可提出解约。惟母兄固执，不肯相助，则又奈何？只有拼命反对。（四）自立能力和解放是相关联的，为女士计，如认为婚约无成全之可能，最好能做到即行解约，退一步至少要做到把十月的“喜期”搁起，换句话说，就是至少要做到暂把婚事搁起。把这层办到之后，进一步最重要的事情便是求学以造成自立的能力。如已在校就学，则当继续求学；如未入校就学，则须竭力设法入校求学；将来学业有些成就，自立能力渐充，对于自身问题的解决便较易成功。

出于意料之外

艾　斯

我是一个受过教育的人，在美满的青春，已享受到人生的幸福，在我渴望需求异性的时候，我便和一位初中毕业的D女士发生了恋爱，在几个月的时期，爱苗亦已长成，不久便各诉胸中之藏，而宣布结婚。婚后，甜蜜的生活，维持了一年多之久，最近这不幸的发生，真出于我意料之外！

我妻（D女士）由家庭中各方的观察，我可以断定她是一定爱我的，例如我上半年经济不宽，家中无用人，家中各事都由她一人负责，她绝无怨声；同事中夫人，衣服都着得很漂亮，常常去看影戏，而我妻一次全无，她也不怨，我对她表示惭愧，她反而真诚的安慰我，使我从心中发出感激的泪，不自觉的流出！

此外还有许多例子，可证明她是十二分的爱我，但是最近的她和从前的她，真是相隔天地了！

在两星期以前，我从前的一个同学A，他到上海来谋事，要求住在我家，我慨然允许，那里知道，错了这一着，就发生这大大不幸的事！

他来我家两天，他们便很亲热，起初我并不见疑，以为她招待的手段，后来越过越不对，我开始见疑，并且我亲眼发现他们喁喁私语，或互相对泣；邻人又对我讲："他们还要接吻呢！"我听了这种揶揄的话，真是惭愧得无地可容！一顶绿头巾，无形中戴在我的头上！

我因为保全我们的友谊，对于他并没有相当的表示。（你们要笑我懦弱的动物罢！诚然！我决没有这种勇气！）从此他的胆子更大一点，并且在我可以看到的地方，他们居然亦有亲密的表示！

在我沉思三点钟之久，我决定对我妻子管束，我仍对他无表示。晚上，我对她恐吓，软骗，都做到，但她始终很坦白地不承认，我的疑心已去一半，她又哀哭，我最后问她："你还爱我吗？"我讲这话很宏大，她紧紧的搂抱着我："……我永远地爱你！"编者先生！当时不禁被她所克！

明天，我的疑心又起，我不得不对他下逐客令，但我和他总是好朋友，很难启口；这使人意料不到，她忽然道："如果你不好意思的时候，我来对他讲！""那倒不必！"我说，我这时深以为她觉悟了！

在这两难的时候，忽然一个天从人愿的事发现，就是他已谋就一事，立刻搬出我家，我暗暗地庆幸，"好了！"在临别的时候，她又现出分别难舍的态度，我不自觉的妒火中烧。

"A 君又不到远方，何必这样！"我这样说。她已知道我不快活，忙放下笑容来同我声辩。

在 A 走了之后，A 接连来了几封信，第一封，是感谢我们的，此后几封都是给她的，在三封信里面附着他的照片（在她的袋中看见的），我问她，她是这样的回答："做纪念的，有什么关系？"在两天之后，她又收到丝袜，衣料，化装品等……我问她，她总是这样的答："你现在怎样变得这样会疑心，爱啊！这是朋友送的！"

有一夜，在两三点钟的时候，我偶然醒来，看见她埋头写字，我偷偷地起来看了一看，她是在那里写信，我恐怕她发觉我，所以我没有看清楚，但我可以断定这封情书，一定写给他的！我回到床上，火冒万分，但我不愿翻脸，仍然耐住我的火；一会儿，信写好了，她又对信吻了几吻，又赶快掉过头来看我，我连忙装做假睡。

隔了两天，她这天，起得很早，很匆忙地换起新衣服，化装起来，我也不理，照例做我的工作，等到晚上九时我回家时，她还未归，在半夜的时候才发现她在我的身边。

“你今天往那里去的？”

“看影戏！”

我力装着平时的镇静，把这事马马虎虎的过去。

最奇怪，她越同他好，对我也格外亲热。

编者先生！我处于这三角恋爱中之一角，先生你有何法替我解决呢？我自己也想得三法，请先生指示我，或者先生能在这三种之外，有更好的一种，也望指示。

（1）警告她同他。（2）与他决斗。（3）我离开此地，听凭他们罢！

先生，你看那一种好呢？望先生登在贵刊上，我就感谢万分！祝你精神愉快！

先生恕我不写明名字和通信处，谅先生也知道我的苦衷罢！手酸了！眼花了！恕我不能再写了！

十，三十一。

〔答〕艾君这封信所述的情形很奇特，我们代为仔细想了一下，觉得D女士也许在未嫁之前和A君就已经是好朋友，或甚至有过恋爱的意思，否则以素昧生平的人，何至在“两天”里便能“很亲热”，甚至“喁喁私语，或互相对泣”？倘若这一点猜得不错，那末D女士也许一方面对A未忘前情，看他们那样“互相对泣”，也许从前还有过“私盟”而她中途改变初志，看见了他觉得不无内疚，所以善与周旋；而一方面对于艾君既“格外亲热”，可见她也许还是偏爱于艾君而并无去此从彼的心意。试听她在事后还对艾君说：“我……我永远地爱你！”“做纪念的，有什么关系？”“你现在怎么变得这样会疑心，爱啊！这是朋友送的！”又她一觉得艾君“不快活”，便“忙放下笑容”，来同艾君“声辩”，又“始终很坦白地不承认”，这种种似乎都可以证明她“还是偏爱于艾君而并无去此从彼的心意”。至于她“有一夜在两三点钟的时候……埋头……在那里写信”，也许不过是写信安慰失恋的旧情人，因为鉴于艾君“变得这样会疑心”而未敢赤裸裸的公开。

上面说了一大拖的话，不过根据艾君所述的情形而略加猜度，倘若猜得对，我们当然要向艾君道贺，不过她的一颗心究竟怎样，我们旁人当然不能下绝对肯定的心语，因为这个缘故，我以为艾君且慢“警告”，且慢“决斗”，也且慢“离开”，先要彻底求得真相，换句话说，就是先要彻底弄明白她的一颗心究竟怎样。如何能彻底弄明白她的一颗心究竟怎样呢？这当然不能靠“猜度”，应该开诚公布平心静气的老实问她一番，要弄得她肯把心里实话说出来。如何能使得她肯把心里实话说出来呢？这全视艾君问时的态度和措辞的方法。艾君如果一心怕“一顶绿头巾”，好像逼她的“口供”，那就“恐吓”也好，“软骗”也好，都难于听得她的实话。他应该很和平的对她说：“我以为婚姻是基于双恋的，不应基于单恋，我虽现在仍是爱着你，但近来看你，举止行迹，很觉得你是恋了A君，A君也恋了你，这样看来，你们成了双恋，我却退为单恋了。倘若这是实际的情形，请你老实告诉我，我决不肯从中作梗，也许经过我们的同意之后，我和你爽爽快快的离异，让你去嫁A君，免得彼此精神上都感受说不出的苦痛。”（这当然不过是大意，词语能说得更婉转恳切更好。）这样一说，倘若她真有意于“去此从彼”，正合其意，大概就要顺水推舟，把实话说出来。如这样彻底询问之后，她仍是“始终很坦白地不承认”，可见她是出于诚意，艾君可以不必再疑，不过可和她说对于好朋友应有的“亲密”限度，因为男女做朋友的亲密总有相当的限度，过于亲密，（例如丢着丈夫在家，独自一人跟着一个男友深夜在外之类。）也许要弄出一时不能自主的毛病来。如她有这样彻底“不承认”的表示之后，艾君一方面还要对A君问个明白，（仍须很和平，不可“火冒万分”，否则也难于听得他的实话。）也可以用上面的意思问他的；如他也“不承认”，那当然无问题，如他竟“承认”，可见是单恋，当加以切实“警告”，并可告以她所明白表示的态度，使他断念。

如果询问之后，艾君的她竟承认有那回事，艾君又怎么办呢？我以为可分两层讲：（一）A君既是艾君“好朋友”，他的性情品格，艾君想知之有素，如果觉得那个人靠不住，（此处所谓靠不住，是指始乱终弃一类的事情。）应该尽力劝她回头，如已尽心力恳劝，仍属无效，只得听之，任她正式离异。（二）如A君和她彼此确是出于真诚的爱，艾君对她确是处于单恋而无从恢复双恋的地位，那又何妨爽爽快快的任她离异？（这一层也许是身历其境者所不愿做，我不过发表愚见以供参考而已，并无强艾君执行的权力，说说也无妨。）

第五编 婚 姻

贞　操

严秀芳

我国向来重男轻女，相沿成习。对男子取宽大放任，对女子则压迫束缚。男子可以在结婚之前嫖妓狎游，女子是务必贞操自守的；丈夫死了妻子可以续弦，妻子死了丈夫则不能再嫁；男子可以三妻四妾，女子是不许有第二个丈夫的。假使女子有不贞操的，那么不但成为男子的弃妇，并且也是全家的罪人。寡妇再嫁，众人必指为淫荡，积不相容，因此没有生产力的寡妇只有饿死，但是她宁愿饿死，决不堪忍受那种世人的谩骂！然而社会人士对于男子嫖妓，却视为常事；对于鳏夫续弦，或是富翁纳妾，绝不会有一个人加以非议的，不但不加以非议，并且还有许多亲戚朋友来为他称觞宴客，何其堂皇！现在女界受新知识的陶冶，新文化的薰染，已有觉悟的女子起来反抗了；谋自由，争平等。可是我女界同胞多半不从实际着想，以致妄谈恋爱自由，号称社交公开，而因此失身于恶棍，终身惨苦者比比皆是。闹出了许多花样来，于是一般自命道学先生便有所借口，肆行攻击；道学先生的脑筋诚然是顽固的，不过“人必自侮而后人侮之”，假使我们女同胞能束身自好，向真正的解放路上走，不问道学先生的脑筋如何顽固，也要使他钦佩，而没有话来攻讦，才是道理。

我以为女子从前受贞操的压迫，是不对的；现在的过形放荡，也是错误的。贞操出于本心，是好事，是美德，不能因为男子用贞操来压迫女子，就根本的打倒贞操主义。我更希望男子也同样的遵守，因为贞操不是单单对于女界的名词，男女界要实行真正的平等，是要把坏的改好，不是把好的变坏，当现在的潮流，我说这种话，难免没有人说我腐化，或是不合时宜，不过我凭我的良心来说几句，他人的毁誉是不关的。如有高明之士，加以指正，我很愿意领教。

〔答〕最近听见有人说道：“贞操两字是封建时代遗留下来的余毒，在现时代是没立足的余地的。”现在据严女士的来信，她的意思似乎又觉得贞操两字在“现时代”还是有“立足的余地”。我们要谈谈这个“性道德”问题，先要彻底了解贞操所含的正当的合理的意义，然后再贡献我们的意见。

英文字里的chastity和东方的贞操两字相当，作清洁解。这种清洁的意义，用到“性道德”方面去，常人往往以童贞和处女为主体，以为“破操”者，不过是指破坏童贞或处女而言，照这样说，有夫之妇和有妇之夫尽可以自由与夫妇以外的异性发生性的关系，而结果也不能算为失贞了。其实贞操的意义，决非如此狭隘。所谓贞操者，是关于性（sex）的德义，“明白地说，就是对于异性的性关系，在法律和从来的习惯上，只能适用于有契约的夫妇间，夫妇以外之性的关系，是绝对的罪恶的。再进而言之，所谓贞操也者，就是巩固一夫一妇的制度，遵守一夫一妇的制度，使不至与其他异性发生性的关系的代名词。夫妇间之性的关系不得谓之破操，而非夫妇或夫妇以外的性的关系，方可以说是破操”（见日人泽田顺次郎所著的《贞操问题》）。至于未婚的男女，虽未对任何特殊异性负此责任，但为尊重自己人格起见，为将来的配偶而保守贞操，拒绝与任何异性发生性的关系。泽田顺次郎把未婚者的贞操称为第一义的贞操，把既婚者的贞操称为第二义的贞操。他又说："未婚时代的贞操是偏面的，结婚后的贞操是相互的。所以就责任上来讲，既婚者的贞操，比未婚者更为重大，因为经过了婚仪以后，夫有保护妻子生命和身体的责任，而妻也有保护和安慰丈夫的义务；丈夫不应……破坏他对于妻子的贞操，而妻子也不应……违背她自己对于丈夫的贞操；换言之，他们俩应当严守一夫一妇的制度，双方须相互的尊重两者间之贞操。"所谓贞操，既是关于性的德义，所以夫妇任何方面不幸有一方早逝，缺了一性，性的关系既中断，性的德义随之俱消，只要能于再嫁或再娶之后，在再婚间的夫妇关系进程中，保守这再婚夫妇间的相互贞操，便不能加以无节操的恶名。泽田顺次郎把这样的贞操称为第三义的贞操。

又如夫妇既已离婚，彼此便中断所应互守的关于性的德义，我们对于任何方面不能加以无节操的恶名。所以离婚的女子再嫁，于贞操毫无问题。只要她再嫁后，在再嫁的夫妇关系继续成立中，能对再嫁的对方守贞操，便是她对于性的德义无缺憾。

这样看来，贞操的合理的意义，不应该是男子强迫女子的偏面的观念，应该是实行一夫一妻制度里，在夫妇关系继续成立中，相互遵守的关于性的德义。我们既明白了贞操的合理的意义，便须再进一步研究人们为什么要有这样的关于性的德义。我们以为如果一夫一妻的制度无提倡的价值，便无须有什么贞操，（一夫多妻制的女子的偏面贞操，当然和此处所指的合于正当意义的合理的贞操不同。）如认一夫一妻制有存在的价值，那么上面所述的合于正当意义的合理的贞操，似乎不能武断的说"在现时代是没立足的余地的"。

于是我们不得不进而研究一夫一妻制是否有存在的价值。我们以为一夫一妻制虽不能说是绝对的好制度，但除人口女多男少，或女少男多的地方外，为社会秩序计，为个人幸福计，为种族繁荣计，一夫一妻制可谓比较好的制度。所以《人类婚姻史》作者韦思特马克曾经说过："文化发达至相当程度时，婚姻殊易于采取一夫多妻之形式，然过此而往，则无不以一夫一妻制为指归，亦不得不以一夫一妻制为指归。"一夫一妻制既有提倡的价值，合理的贞操便有存在的价值。

我国向所注重的上门守节及青年守寡便是不合理的贞操主义，因为贞操既是关于性的德义，性的德义是随着两性而存在的，对方异性已死而不在了，何以不可以再加上一个异性？

贞操既是关于性的德义，有意去败坏这种德义的才有责备之余地，才发生道德的问题，否则如有女子不幸为强暴所辱，或不幸为人用伪善手段所骗，她的心地原是光明的，原是无辜的，都不应加以失贞的恶名。所以在西方即有这样不幸的女子，只要有人爱她，就娶她；在我国则认贞操全属肉体的关系，与精神无与，所以不幸的女子就终身不幸。在西方虽属寡妇，也只要有人爱她，也就娶她，在我国既认贞操全属肉体的关系，与精神无与，所以不幸的寡妇也就终其身不幸。这种不合理的贞操观念，我们以为是应该打破的。

严女士以为贞操不应打倒，我们以为此处贞操两字须有相当的界限。就是旧礼教中的惨无人道的贞操观念宜打倒，只有合于新道德的合理的贞操观念才有存在的价值。

自立与独身

严冷馨

我自从去年读了《生活周刊》后，心里尤其注意的就是“读者信箱”的顾问，我很早就想将我以后的生活问题，请先生给我解决一下。

我是个残废人，在十二岁时因脑病将耳中听机击破了，那时我还在幼年时代，不知什么叫做苦。但是从此以后我永远成了一个与社会无知觉的人了，到了现在，我年纪已是长成十九岁，青春算已开始了，到现在才渐渐的觉着无限的痛苦。说起我的学识，是很浅薄的，幼年时候对于读书真是不用功，现在想起真是惭愧。

我自残废后搁一年没有读书，没法子，后来打听北平有个聋哑学校（我是由五岁起在平的），就进了这个学校。念了一年半，因为家父经济困难，而且我的学膳费又贵，无力供给，由此退学。后来我进了北平女子西洋画社，校长熊唐守一是个日本人，学费每月四元。于是我求学之心就重在美术上，到了二个多月，因为经济困迫，家父运眷回里，我正想在美术上研究一点学问，不期被万恶的金钱所阻断，使我求学的前途便永无希望了。

我回家乡后，真是万种不便，求学一事更是不用提了。福建的教育更无从说起。十六年承家叔介绍一位朋友林先生（亦系日人），请他教授美术，由此我重新修学，但是这位日人不肯实心教授，我也不喜再去了。

由去年进了阳岐小学校学画，教授者为李春魁先生，他的学问很好，言语又通便。到了今年，校长因他教课很好，继续请他教授，我还是继续学画。

我在十五六岁就抱定一种独身主义。我费了好几年的仔细思量，才下这个决心。我对社会既抱悲观，我性格又很坚直而沈静，我觉得独身生活是很自由的：（一）没有家务之累；（二）没有儿女之累；（三）终身清洁。我既想抱独身主义，当然须注意将来的经济自立能力。我能刺绣，能女工，现正在用心学画。

我五岁在平丧母，先母只生我一个，我一出世受的苦处真不少。我自先母去世后，由一位最亲的姑姑养大的。我家里人口很多，上有祖父母，叔祖，叔叔，姑姑，家父当我十一岁时续娶一位继母，后生了一位小弟弟。我自幼到现在都是过的悲境，很想在此说一说，因为恐怕有碍家父名誉，我只恨我的运命不好，无所怪人，此中无限的痛苦，姑且不说。

〔答〕严女士是一位坚苦卓绝而有志气的贤女子，我想还是看这封信的人所感觉得到的。女子自由幸福与她的经济自立能力有密切的关系，这是很重要的事实，女士能见及此，殊可敬佩，至于自立与独身似可不必混为一谈，可分作两件事考虑。独身诚然需有自立的能力，然这两方面诚不是没有关系，但即不独身而亦具有自立的能力，仍是自己幸福的源泉，自由的保障。

至于独身主义一层，我以为这是属于个人的问题，不能以一概论。有的人在心理上及生理上把婚姻看得极淡，觉得可有可无，很自然的独身，这于个人的心理生理尚可无害，但这是例外的，平常不可有；若因有所感触或有所困难而勉强的独身，那对于个人的心理生理实有害处。总之嫁娶是常轨，独身是例外。我以为独身不必看作什么主义，心理上生理上觉得需要而又得到相当伴侣时就嫁，否则可以从缓，再候物色。严女士也许因为自己耳聋而灰心，但耳聋是外面看不出的，比目盲好得多，况以女士之贤能，尽有得到相当爱人的机会，似乎不必悲观。这是我个人的愚见；我上面已经说过，这是纯属个人问题，我当然不能代女士决定，不过希望要顺乎自然而不要勉强，也有人对于独身主义是极端反对的，像陆费逵先生在他所著的《妇女问题杂谈》一书里（中华书局出版）就有一篇“辟独身主义”，我现在撮录几段以供参考：

> 国家之存在寄于多数人民之身，尤其是寄于优秀人民之身，女子的第一天职是为国家生，育，教未来的国民。若全国女子均畏生育而独身，则国家民族都有绝灭之忧；若优秀女子畏生育而独身，则减少优秀的未来国民……
>
> “饮食男女，人之大欲存焉。”二十五岁以前，身体尚未十分成熟，独身自无问题，且只

能算迟婚，不能算独身，二十五岁以后却不然了。西洋医学家调查，二十八岁以上的独身女子大半都有病，甚至成痨瘵。中国古医学家也说："痨病之因非一，总缘情志不舒，所谓七情不损，五痨不成也。苟心之隐曲不伸，脾为思虑所困，则郁火内燔，荣液暗烁，阳明渐涸，冲脉乃衰，血耗风生，泛愆肌削，势必君相二火升腾，气逆奔迫而死也。俗谓之干血痨，室女，尼姑，婢女之年长者最多患之。"

结婚的人固不能都有幸福；但是独身的人可以说没有幸福。家庭的愉快，疾病患难的扶持，都非有配偶不行。独身女子，在年轻的时候，志高气盛，还可支持，或父母在堂，有所倚赖。年龄渐大，见人唱随之乐，不免羡妒，而身体渐弱，处境渐艰，容颜渐老，志气渐衰，没有不自叹薄命的。寡妇守节，常有年轻时贞固自守，三四十岁以后反变了的，就是这个缘故。某寡妇于三十外失节，后来劝其女儿早嫁，女儿迟疑，恳切对女儿说："三十好过，四十难熬。”这一半是生理的关系，一半是志气盛衰的关系……

所以我的主张：女子到了二十岁左右，应该速择配偶，至迟二十七八岁，总要结婚，无论为国家，为本身，都应该如此，在女子未十分解放以前，是父兄的责任。为父兄者万不可泄泄沓沓，误儿女的终身，并且自受其累。没有父兄的女子应该除去佯羞态度，老老实实自己择人，更不要泄泄沓沓，自误终身，甚或丧其性命。

自己不敢说

孙剑湖

我自从看了“读者信箱”以后，心中便跃跃欲试的要请求指教一件事，但是因为怕羞的缘故，迟迟未发。现在我再不能耐了，所以把我的难处，写在下面。

我今年已二十三岁了。任何人到了这样年龄，当然都是求侣（异性的）心切。何况我又常常看言情小说，什么《红楼梦》,《西厢记》,《花月痕》，都曾看过，自信是一个多情的女子，又何能逃出这范围呢?

然而我是在旧礼教压迫之下，那有自由配偶的机会呢？所以不得不有赖于父母之命，媒妁之言，再由自己加以审察。可是我的母亲，却和人家特别的。她从来没有在我面前提过我的亲事。有时婢女传给我听，说某姓来说亲的，某姓也来说过的，我母亲总说还早，我十九岁的那年，婢女又和我说，我的表兄央媒来说亲的，但是又被我母亲拒却。不久，表兄便和别人结婚了。我那表兄的人品和学问，都是好的，但不知道我母亲为什么要拒绝他？我母亲和人家的感情又不甚好，所以到现在连说亲的人都不听见了。

她家教很严，不许我出外，所以我一向十分怕她，自己当然不敢说要对亲了。眼看着人家未婚夫妻，借着纸笔传他们海深似的爱情；已婚夫妇，度那甜蜜的岁月。我呢，真不可同日而语了。照这样下去，我的终身问题，岂不很危险吗？我实在非常焦急，请求先生替我想一个万全之策，在周刊上指示，那真感激无地了。我因为种种关系，不能把通信处告你。我想先生很慈悲的，一定不使我失望的。

四，三十。

〔答〕孙女士这封信的信壳上写着“锡寄”，邮票贴上了四分，猜想起来，也许是从无锡寄来的，无锡总算是我国很开通的地方了，还有这样“蛮干”的母亲，真是女士所谓“和人家特别的”。可为浩叹。女士的家庭和她个人能力的详细情形，我们不得而知，她要我们替她“想一个万全之策”，实在没有把握。我们只能提出几个途径，聊备参考。（一）这种“终身问题”是光明正大的事情，只要光明正大的进行，绝对用不着怕羞，女士对于这一点先要明白，然后对于自己的这样重要的事情，才提得起相当的勇气。否则畏首畏尾，心里想什么，嘴里不敢说，永远弄不好，既有了相当的勇气，我以为尽可乘着没有别人在旁的时候，和母亲谈谈，或是先对她流泪，（这并不是假的，因女士处境这样困难，想到自身前途，很容易哭出来的。）刺痛她的慈母心，然后乘机说几句话，说的时候，当然不必直率的说要出嫁，可说能时常随侍母亲诚为所愿，惟自己年龄已大，母亲年岁又渐老，想念前途，不自禁其伤心云云，或酌用其他相当的话，如母亲用温语慰藉，就可以略把自己的意见表示一些。（二）其实母亲总算是最亲爱的人，有话不妨直说，如女士不愿用上面那样曲达的办法，或曲达的办法没有什么效率，女士尽管大胆的对母亲说婚姻是终身大事，现在时代更不比从前，母亲选人的时候，务必征得儿的同意，这样在表面上是叫母亲对人选审慎，其实也就含有催促的意思。女士只要咬定“终身大事”四字，便极光明正大，又不是什么轧姘头的无耻事情，与家教绝无妨碍，虽然“她家教很严”，有什么“不敢说”？我们要知道天下事权利与责任并行，要享相当的权利，便须尽相当的责任。如女士这一点对于自己的责任，都没有勇气担当起来，“照这样下去”，“终身问题”的确是要“很危险”的。其实怕什么？至多被母亲骂几句，又没有别人在旁，更不要紧。就是说了一次不行，倘能乘相当机会接二连三的说几次，总可以说动母亲的心，因为母亲自己也是一个女子出身，她并不是完全不懂女儿的苦处。（三）不知女士有无比较亲热的长辈，如姑母姨母或自己的义母之类，如有，也可以选择其中最知己最热心的，和她谈起自己的心事，（当然也不必直率的说要出嫁，可仿上面对母亲的说法。）托她从旁帮忙。不过这种前辈倘若不是与女士极知己的或极要好的，颇不便委托，反不如自己的母亲，可以想什么就说什么，骂至多挨几句，没有什么不便的事情。（四）照来信看起来，女士似乎没有进过什么新式的学校，交游当然不多。但是女士的母亲虽不许她出外，不知女士在亲戚中还有物色的机会否？如能在亲戚中再遇着好像那位“人品和学问都是好的”“表兄”，尽可以壮着胆向母亲哭着要求，老实不客气的叫她托人向对方提议。做女儿对亲生的母亲尽管实行这样好像“无赖”的行为，尽管装憨撒娇，因为既不怕她见笑，至多挨骂几句，为着“终身问题”这样干，十分值得，不过要在没有别人在旁的时候干就是了。（五）女子到了三十岁再不订婚，就有点“尴尬”了，在二十三四乃至二十四五还不十分紧迫。女士今年二十三岁，至少还有一二年作选择的工夫，所以一方面固当多方设法进行，却不必过于“非常焦急”，因为过于“非常焦急”，非但于身体的健康有碍，而且有“急不暇择”的流弊，反于终身的前途有碍。（六）最后我们还有一点要奉告女士的，这是上面开头已经略为提过，为郑重计，再要说几句的，就是“终身问题”是光明正大的事情，也要光明正大的进行，不可私自一人在暗中瞒着人瞎撞，例如就是自己物色到了相当的人物，也要先行告诉母亲或有经验的前辈，共同考虑一下，尽管俟她们作无理的反对时，如认为自己不错，再勇猛的独断独行，但也要光明磊落，不要暗中瞎弄，免致上当，后悔无及，是为至要。

我们同时对于做家长的人，也要诚恳的希望他们对于自己女儿的这种事情，要加以恳挚的同情与深切的注意；我们想起牺牲惨亡的黄慧如女士，觉得十分可怜，更愿做家长的人，视为前车之鉴，不可糊涂。

久在喉咙里

萧芳英

溯自贵刊出版以来，鄙人亦为爱读之一，我现在有一桩久在喉咙里说不出来的一件难事，求先生代我解决，想先生德高学广，教人有方，当不拒却我也。

我是一个软弱无力无助的贫苦女子。自从出了母胎，托庇于椿荫萱草的自然怀里，享受双亲的慈爱，在我的生平历史上，只占了一小半，其余一大半的生活，都是飘飘荡荡，无所依归。

为了叙述这件事，不得不将我的家境状况略述一下。

我家是世代书香，自从父亲去世后，母亲就日夜悲哀，郁郁不乐，以致旧病复发，不久也弃了我俩而独自飞舞于仙境了。这时伴我爱我只有我亲爱的哥哥，他是一个性情温和，沉默寡言的有为青年。父亲死后，遗下来的财产，除作二老葬费外所余无几，幸有我哥哥勤恳耐劳，努力供职，故未借贷与破产。

我自从十六岁毕业高小后，就进一所教会办的产科学校去半工半读。谁知不到一年，就有一个美籍医生来恋我，他只有廿余岁，医学也很精通，人品性情也合我意，平日待我很厚，尤能专心教我医学学识，他先向我求爱，继向我求婚，我因年幼识浅，就与哥哥商量。孰知哥哥不赞成。并说“非我民族，其心必异”，他现在看你年轻，固然爱你，异日年老，难免抛弃，且国际结婚，设一旦遇有事变，应受何国法律之裁判？所生的子女，取得何国国籍？我记得有一位菲律宾男子欲与美国女子结婚时，被美国政府闻知禁止，结果一对亲爱的鸳鸯只得无条件分散。先生，为什么美国政府禁止本国女子与菲人结婚？中国女子——尤其是广东女子——嫁给别国男子，为什么中国政府不禁止？先生，设我嫁给他以后，将来遇有事变，是否仍受中国法律之保护？产生小孩，得取何国国籍？

末了，我谨以一颗热心，敬祝《生活》进步。

〔答〕婚姻应以双恋为基础，原不必以国界为限，例如我国亦有人娶外国女子者，我以为此类事无所用其提倡，亦无所用其反对，若《一位美国人嫁与一位中国人的自述》书中所述的章卿与麦葛莱女士（此书所述全系事实，章卿虽非真姓名，但其本人曾在南洋大学担任过英文教授，还教过记者英文，故知之特详），我们见他们俩之情深义厚，大有海枯石烂此志不渝之概，未尝不愿他们有情人得成眷属。惟普通心理，以娶入为便宜，嫁出为吃亏，故曾闻某君坦然的说，“一位美国女子嫁与中国人”，我还要看看，倘若是“一位中国女子嫁与美国人”，我便不愿看。其实这种偏见，并无充分理由为根据。美国人禁止本国人娶菲女，亦无理由可说，全属种族成见，我国政府不禁止本国人和外人联婚，我以为却是合理的态度。总之我对于国际婚姻，以为无所用其提倡，亦无所用其反对，只须两方本人有彻底了解，出于双恋，则无论本国或国际，都是个人问题，应由个人自己选择。但萧女士之令兄所虑固亦不无理由，盖外国男子视离婚较中国人为轻，而外国女子因多能自立，且离婚后易于再嫁，故亦视离婚较中国女子为轻。今以中国女子嫁外国男子，此种危险似乎较大。惟此层亦视男子个人心地如何为断，倘择人不慎，则抛弃之事，即中国男子亦未尝无之。故此事在女士第一点须自问是否已彻底深知其人之品性心地等等；第二点须自问万一有抛弃之事，是否仍有自立能力而不至陷入不能自活之苦境。如此两层无把握，愚意以勿贸然为是。至女士最后所询两点，简括奉答如下:（一）遇有事变，如在外国，当然受当地法律裁制，如在中国，在领判权未收回以前，美人仍受彼等本国法律裁制;（二）子女国籍从父。

血统和遗传

贺宝珍

我有一件事恳求你解答，这事吾认为非常重要而很急求解决的。

前年我远方的姑母（父母的胞妹）和着表弟搬到上海来了，这时我在初受中等教育。他们就和我们住在一处。表弟虽是表弟，他只小我几个月，他到了上海后，就和我在一个校内受教育，而且和我同级，他的性情，我在他无意间都看出了。他多么温柔而尊严！多么可爱的天真！

有一次的星期日，我们在温完功课之后，他忽然发生钓鱼的兴趣了，他一定要和我一同去。草岸上的柳枝，已飘拂到水面了，暖和的太阳罩住了我们的肩背，觉得微微地有些热意。这是一个春之午后。

他只是注目在贯过钓丝的旋波中；他突然的举起执钓竿的右手——大概钓到鱼了——无意中竿根猛力的击中了我的左眼，我的眼泪，——其实我不想哭啊，但是它不服从的已流出了眶外，他急得也要哭了，润湿的眼，不住的注视着我抚摸伤眼的手指。我相信他的心真在诚挚的忏悔，我相信他坦白的胸中实想不出假借什么手腕来安慰我，真的我在他这会使用的眼中已看透了一切。怪可怜的乞怜式的眼光！我不得不笑了，我希望用我的笑垫平他心中的缺陷，我希望用我的笑消失他自以为的罪恶。他终于也笑了，他仿佛心里才适然。不论那一天的空闲的晚上，当我们同在家里灯光下研究或温习的时候，妈妈和姑母总喜戏弄我们，她们总是谈到我们不愿谈的而未尝谈过的我们俩终身的婚姻问题，这多么使人难堪！我们只是同样的做出不愿的表情，但我的心中啊……不知他怎样？

上生理课的时候，姚先生很起劲的讲解着“血统和遗传”的一课，我不知怎样的觉得心里特别的跳动！我偷眼的望他时，他红着脸！

先生！我一百二十分的愿意他做我的……但是倘

若是这样，我又非常的不忍我们未来的孩子受到残废的痛苦！（因为我们的血统似乎太近。）

我为着特殊的关系，请你恕我用假的名字，而且不能把住址告诉你。诚恳的请求你在你的周刊上答复我。

〔答〕依最近遗传学之结论，婚姻结果之良善与否，唯当事人胚质之健全与否是视，而与血统之远近并无关系，即有之，则非重要。所以只要两方父祖曾三代中未尝有可以遗传的病态或变态，虽表亲亦不妨联姻。如两方的祖宗有很好的品性智能可以遗传，则婚姻者之胚质中有多量聪明才智之根源，则血统婚姻不特无损，且可为聪明才智的保障，使聚而不散，蓄而不泄。这样看来，贺女士只要注意两方三代的情形，不必拘拘于血统的远近。

恋爱已呈白热化

吴　熊

我现在有一个很难决的问题，请你指教我。数年前我已经结婚了，虽然是老式的结婚，结婚后我们都能够互相了解，发生爱情。不幸不久她竟死了，我是何等的伤心啊！她有一姊，刚在嫁过门的那天，丈夫就不幸暴亡，因为旧礼教的压迫，她也只好守节，过那凄惨的岁月。她自丈夫死后，便时常回到母家，因此我得和她时相会晤和谈话。她那柔情蜜意，实在使我爱慕，并且每念及亡妻，更觉得她的可爱。不久我们便恋爱起来，现在恋爱已呈白热化，觉得非作进一步的表示不可。不过我们若是实行同居，家族的诽谤，社会的攻击，是何等的难过。若不结婚，又不可能。

我现在进退两难，没有法子，所以写这封信，请你替我解决解决。

〔答〕我们对这件事的主张是四个大字，就是“当然结婚”。再说得详细些，便是速依法律的手续，正式结婚，所谓“诽谤”云云，当完全置之不理。

寡妇再嫁本为法律所许，吴先生又是使君无妇，更丝毫不成问题。吴先生这样专重恋爱而不以寡妇为不可娶或不屑娶，不但救了他的恋人，而且替社会开一个好风气之先声，于社会的贡献也很大。这种极合法律极合道德的举动，稍有一点儿正确思想的人，没有不赞成的，我们十二分诚恳的希望吴先生“有情人都成眷属”！并十二分诚恳的希望吴先生决然不可以无理的诽谤而害他恋人的终身！

真正恋爱的，有情愿牺牲一切以一护卫恋人的精神，若吴先生因怯于区区无理的诽谤而不顾恋人的一生幸福，便是“懦夫”，决不能算有真正的精诚的恋爱！

我们尤希望吴先生行正式结婚礼时，给我们一张喜帖及结婚俪影，我们愿意登在本刊上，以资社会模楷。

终身的伴侣和安慰者

郑熊书

我的知友徐君今年二月里患了胃病，听说宁波有一著名的医院，以专医这种病见长，所以他慕名而特地到宁波这医院去医治。在宁波这个医院养病的时候遇着了一位丁女士。这位丁女士年华三七，曾毕业初中，父为富商，母早丧，二位兄长均在日本游学。可是丁女士不欲享受什么富贵荣华，偏在医院里练作看护妇，为公共服务，其志可嘉可佩。这回遇着了徐君，两人一见钟情，他在病的时候，全赖她温存的服侍和安慰，便也忘了寂寞和病的痛苦。

如今徐君病愈回沪了，两人顿如天涯之隔，情意只能达之于书面。然而她寄来的信，字里行间都充满着悲感和怨郁，徐君曾问她："你为什么总是这样的悲感呢？

我或者可有助你之处么？”然她不忍详细多说，仅寥寥的这样回答数语：“我十九岁由父母之命而出嫁，到二十岁丈夫就死……”可是徐君常常去安慰她，并且寄许多杂志和有益的书籍给她，所以她曾说：“倘然我身旁有安神药水和生鸦片，我就一口吞服了。只为你这样的待我，未免太辜负你吧……”总之，徐君之爱丁女士，完全是由怜恤而起，晓得她是一个可怜的青年寡妇，愿作她的终身的伴侣和安慰者。

可是有一层，就是徐君已由媒妁之言与旧礼教所屈服旧道德所压迫三从四德的信徒沈女士订了婚，所以徐君曾经对我说过：“将来也许要成家庭的惨剧吧。”以上的话都是徐君亲口说给我听。并叫我代他想个妥当的办法，我也只好把它录下转恳编者先生，请你指教，感同身受。

十八，七，三。

〔答〕我们对于郑君提出的这件事情，贡献如下的管见：（一）我们固然十分赞成解放寡妇，但是我们主张婚姻当以爱为基础，如果有了爱，不管对方是不是寡妇，只要有了爱，不是寡妇，要她；是寡妇，也要她。

徐君果为“钟情”而不因对方是寡妇而变其诚心，这是可敬的；如以慈善家的态度而存施济之心，仅仅为“怜恤起见”，好像一方面是施恩者，一方面是受恩者，则将来也难得永久的好结果，关于这一点，徐君在心理上先要弄清楚。（二）如果徐君对于旧式订婚的未婚妻向未同意，从未谋面，毫无感情，对于丁女士是出于真诚的爱，我们赞成徐君设法解约而做丁女士的“终身的伴侣和安慰者”。（三）此事当然要引起旧家庭的反抗，要能抵抗得住这个反抗而获得最后的胜利，须视徐君自己有无自立的能力和奋斗决心与勇气，如自问无此能力，无此决心与勇气，还是不要轻举妄动的好。我常说义务和权利是并行的，如担当不起义务，便不要妄想白享权利。（四）也许有人说这样一来，徐君的未婚妻未免太吃亏了。天下事很难十全，她当然不免有多少的吃亏，但是我们觉得在我国目前的情形，不是自己有何缺憾而被人解约的女子，（徐君如解约，当然不过因为彼此未有感情，并非根据未婚妻有何缺德。）另行物色丈夫，比寡妇容易得多，如丁女士嫁不到她所心爱的人，吃亏更大。

觉悟了的她

黄见秋

我是个书香之后，在五岁时父亲就见背了，幸亏慈爱的母亲克勤克俭的挣扎着维持家政，一方面送我进学校，求些自立的本领。我母儿俩经过了很长的寂寞和困难的时间，到了民国十四年的时候才算中学毕业，就在社会找到了一个栖身之所，减少了些我母亲的负担。不到一年悲哀的事又来了，慈爱的母亲也弃养了，可怜的我就变成了个没父母的孤独者，我想着了过去的一切，不时还是要流泪。世界上也许没有我这样的苦儿了！我父亲遗下的产业是很少的，大半已经做了我的学费和母儿俩的生活费，母亲过后的丧费还是向人告贷的，我处于这环境之下，何等的困难呀！亲兄弟是没有的，都要我个人去负担着。我凭着青年的勇敢和恶环境奋斗着，迄今已三年，稍有些余款了。但是年纪已不小，念四岁了，此刻还是过那单独的枯燥的生活，现在我想找些人生的愉快和安慰，于去年底认识了一位异性的朋友，她也是与我同病，早失怙恃的。不过她曾经被恶环境的诱惑而堕落，此刻她是觉悟了，她根据“愿作贫家妇，不为富家妾”的原则，奋勇的重进了学校，求些智能，到现在已两载多了。我要想向她求婚，曾将此事告知伯叔，征求意见，但是他们中了旧礼教的毒，都不赞成，并且说了许多不耐烦的话，什么有玷门庭啊，有辱家声啊——我只好蕴存着不作一声。按说婚姻本以爱为要素的，用了大无畏的精神总能达到目的。但是此事成了对于人格有所伤失否？那冷嘲热讽的讥评和家长的严厉责备怎样能免呢？如果分居，一旦发生事变，乏人扶助，怎样办呢？设或另选意志不合者亦觉徒然。务祈先生指一新径，则感激不尽也。

十八，十，二二。

〔答〕读黄君所叙母子零丁孤苦奋斗前进的经过，哀痛悲切，令人感动。言为心声，对于黄君天性之笃厚，于此可以概见。“觉悟了的她”的问题，我以为宜注意两点：（一）黄君与她要审慎考虑彼此是否有真心的情爱；（二）倘有了真心的情爱，黄君当自问是否有爱护她的勇气和能力。如黄君对她只不过“同病”而相怜，对于她的性情学识姿态体格等等均无出于心坎中的爱慕，那么婚姻这件事不是什么“慈善事业”，我要劝黄君不要卤莽进行。倘若黄君自问对她确有上面所谓“出于心坎中的爱慕”，第二步便须自问有否爱护她的勇气和能力。讲到这个第二步，我们当然要想到她是“曾经被恶环境的诱惑而堕落”过的，换句话说，就是她已经不是处女了。照我们的意思，只要彼此有真正的情爱，就是所娶的是寡妇，或是已与他人离过婚的妇女，都是很正当的，至于虽不幸堕落过而现在确已觉悟的女子，你真正爱上了她而娶她，当然也是很正当的。不过这种事情，要做须由黄君出于本心去做，我们不愿强劝他一定要这样做。为什么呢？因为在我国新旧思想正在冲突的时代，有的人还充满了顽固的旧思想，并没有什么正确的观念；有的人对于各事肯用理性去估量价值，有了正确的观念。在前一种人，当然把处女看得异常的重要，至于有无真正的情爱反在其次；后一种人总把真正的情爱看得重，处女非处女并不成问题，黄君如自问自己如娶了那位“觉悟了的她”，心里仍不免有前一种人的心境在暗里捣鬼，则请不要勉强为之，徒然自种精神上无限苦痛的种子；如自问自己在心理上绝对不至为顽旧观念所惑，则我们深愿有情人得成眷属。所以我以为黄君如对于第一点经过详慎缜密考虑后，觉得没有问题，则第二步当自问有否爱护她的勇气和能力。

如果真正有了“爱护她的勇气和能力”，那么什么“冷嘲热讽的讥评”哪，“家长的严厉责备”哪，当然不足阻碍他的前进；如果经不住这些“讥评”和“责备”，正足以证明他并没有“爱护她的勇气和能力”，那就什么话都不必说了！至于有自立能力的小家庭当然应与大家族分居，黄君怕分居，我们也有点不懂。“一旦事变发生，乏人扶助”，不知何所指？其实如有热心的亲友，有什么事变发生，未尝不可扶助，不一定要同居。

一度之诱惑

王腾苍

兹将吾友孙君所感之痛苦及其发生之原因略述如下，敬请赐教，无任企盼。至友孙君为鄙人总角之交，近肄业于沪校，时相过从，极爱好。惟彼自去年回里完姻后，忽改常态，平日悲愤抑郁，达于极点，遇事颓丧，活泼之少年一变而为愁苦之学生，异而询其故，终不肯吐实，后经余再三诘问，彼始告我，盖彼自结婚后曾侦知彼之夫人在未嫁前不幸受人一度之诱惑而失足。夫此等事件值今日新旧潮流激荡之际，原不足为异，亦不必置怀。但孙君思想颇固旧，以为此等事件实使彼蒙莫大之耻辱，几无颜立于人世。初原拟即时提出离婚，后来以种种顾虑致未果行。今年夏彼夫人诞生一女，将近数月，彼之夫人性情甚和蔼，面貌亦颇悦人，对于孙君凡事无不百依百顺，如柔顺之羔羊，依人之小鸟，（此数语为孙君自述，非鄙人所知，特此声明。）孙君对之又颇有怜惜不舍之意，在此情形之下，如不离婚则孙君精神上之痛苦不能减除，如提出离婚，则颇多困难，（如抚养新生之女及离婚后孙君夫人之再嫁问题等。至经济方面，因孙君夫人系中学生，将近毕业，或不至发生重大问题。）究应如何办理，望先生代为一决，无任感祷。

十，二四。

〔答〕这封信里所说的孙夫人，与前函所登黄见秋君所述之“觉悟了的她”似乎相类，而所处的境地尤为可悲可怜。读王君所说的情形，深觉孙夫人实不愧为温柔和婉的贤妻，在孙君应知他是廿世纪一个文明世界的男子，应有理性，应有义气，应有心肝，而不应做野蛮时代的顽固残忍心理的保镖者。闺房隐事，最易造谣，原未可轻信，即退一万步认为确属事实，如此贤女不幸遭匪人一度诱惑，在真知爱情为何物者犹当深加怜惜与爱护，而况她现在对于孙君真挚纯爱；孙君不知享受这样的蜜意深情，反而“悲愤抑郁”，甚至忍心想“提出离婚”，真是十三世纪人（十三世纪史家所目为“黑暗时代”)，不该生在二十世纪！这种荒谬的态度，除打破他的谬误心理外，似无他法，王君既是他的“总角之交”，“极爱好”，实应负尽力开导婉劝唤醒之责。

婚 后

紫 璎

现在社会里面女子的酷遇，其故何在？本刊三十七期里“代表腐旧观念的一封信”分析详尽，评判确当，使我十二分诚服。和翠的惨死，谁都洒一掬同情之泪！我现在的境况，比较上好得不少，但是精神上，受着与和翠似是而非的痛苦，我忠实地写出，恳求先生给我一个福音。

我是一出世不见爸爸的，我的祖母与母亲的宠爱我，真像希世奇珍！虽则生长在乡间，也读了一年书，将及笄的时候，当时本乡的财主，都来求婚，我娘始终没有答应，因为我娘是被旧礼教束缚而受压迫者，所以常常对人说：“璎的终身必须独养子才配，最好是孤儿，有自立性的。”不久就达到这目的，不过贫穷点，我的祖母十分反对，以为我是娇生惯养的，日后恐过不了那样忧吃愁穿的日子。

我娘爱我，也怕这一着，便将对方的人格，和现在的状况，暗暗地探访考察，经过四十天的光阴，才直接告诉我：你是聪明的孩子，这事是你终身的大事，我是受过痛苦的，所以不肯贸然将你的幸福葬送，我告诉你这样一个人，他是从小无父的，他娘抚孤守节，备尝艰苦，他受着家庭良好的教育，所以到上海去学生意，未曾中断，他娘又死了，他弱冠年纪，不想到家室之乐，宁把血汗赚来的钱，做他父母安葬之费，就这一点看，他是可靠，他虽贫穷，也不过是暂时的，我想把你的终身，许配与他，你愿意不愿意？

我面上热烘烘地，俯首无言；我娘以为默认；确实这种事，不仅我不能回答！

去年的冬天，我嫁过来了，他的性情极其柔顺，委实太困苦点。他在上海做一个工厂里的书记，一个月不过得着十二圆的薪水，怎能维持生活？况且娶我的时候，多少总要用钱，亏空了点，所以今年搬到上海来，我的希望是找些工作，去帮助他，那里晓得已有了爱苗，所以失败。他确实勤俭，但是我的亲戚不肯恕谅他，在我面前冷嘲热讽，我虽则极反对自杀的，至此乃不容我不想向浊流狂跃。仔细思量，如何对得住他；不但使他疯狂，恐怕他一生，就此完结，真可以说“千古艰难唯一死”了。

他生成牛性，每以孤傲自赏！平白不肯向人乞怜！他自己知道吃亏，与我的脾气，恰暗暗相合。但是环境如此，应当怎样的去解决，所以希望先生费神指点一下，那是很感谢的。

十七，八，四。

〔答〕吴和翠女士是受着丈夫和阿婆的百般虐待，我们还不赞成她的自寻短见，像紫璎女士的丈夫既是“他的性情极其柔顺”，又“确实勤俭”，而且又是一个小家庭，精神上似无什么缺憾，不过因为目前“贫穷点”，亲戚的“冷嘲热讽”，便“想向浊流狂跃”，我们觉得紫璎女士的思想太“钻到牛角尖”里面去了！

我们要知道夫妇间如在意志性情方面是“知己”，彼此亲爱，则虽目前处境比较的苦窘，共同体谅，共同奋斗，于困苦中有其至乐之处，比那些“财主”三妻四妾，大家族里闹得乌烟瘴气，实判若霄壤。况且“天助自助者”，只要夫妇能克勤克俭，留心机会，前途尽有光明的日子，享福的时候；决不是要一生一世“困苦”的。

有真爱情的可以牺牲一切，如女士既爱她的丈夫，虽是“娇生惯养”的也应当念情爱而安慰她的丈夫，辅助她的丈夫，虽目前“贫穷点”，也应该泰然领受，这才是正当的途径，那里说得到“想向浊流狂跃”！老实说，我们听了女士这个意思，觉得十二分的诧异，希望女士即与女士同境遇的人“仔细思量”！

至于女士所提出的关于经济方面的“解决”办法，我们以为一时当然要极力设法撙节，同时紫璎女士的“他”也当细察情形，或可在原厂里设法略为增加些薪俸，如不能的话，暂时勿辞，极力留心其他机会；至女士自己，等到“爱苗”“收成”之后，也可以设法做些工作，最好能弄点家庭小工艺的事情做做，也不无小补。总之人生的向上是由奋斗得来的，我们一方面要尽心力的去奋斗，同时还要存着乐观的态度，俗语说“天不绝人之路”，这句话当然是迷信，是说除非自暴自弃的人，总有路走的，不要性急，只要向前做去。

很可怜而没有胆量的女子

恒　芳

我是一个很可怜而没有胆量的女子，在八岁的那年双亲就去世了，所过的生活是非常的孤苦。后来由亲戚的扶助，在六年前出了嫁，他在这几年内待我非常淡漠，翁姑也是看不起我的。家中银钱进出是没有我开口的余地，他除了每月给我几圆零用之外，一无积蓄。他有时不高兴的时候，就要骂我，并且还打过我几次。可怜我因为没有亲近的人，无从哭诉，只得把苦泪吞入肚内罢了。但是他也并不是一个没有爱情的人，他有一个朋友，因为时常来往，就同他朋友的妻子很熟，近来同她更是亲密，每天有电话来约他去游玩，或者看影戏。这种事体，我是没有资格加入的，所以他同她在外面做的事体，我是不晓得的，但是有一日他的朋友同她到我们家里来的时候，我看见他同她非常亲热，有时背着她的他，就动手动脚，而且对于她的行动时刻关心。像这种性情，他在我的面前是从来没有过的；对于我就要这样，要那样，像仆役一般的侍候他的客人，等到他们出去的时候，他就叫我看好小孩子，留心门户。所以我晓得他对于我完全是看不起，丝毫没有感情。近来因为有几个人说他同她的坏话，我又没有胆量去劝他，因为倘若开口劝他，恐怕我以后的生活还要不如现在了。所以我将来的问题是非常难以解决的，特此请求先生指教，如蒙答复，请在贵刊的“读者信箱”内登出。

十八，五，二十。

〔答〕恒芳女士这封信简直是一字一泪，我们看完之后，不禁发生无限的悲感与同情。想到女士所谓“没有胆量”四字，更生莫大的感触，因为我们觉得胆量是发生于有自立的能力；有自立的能力便易有胆量，要依靠人，胆量便不得不小起来。讲到这一点，令我想起土耳其革命中的女杰亨南女士（Hanoum），关于她的事业与奋斗精神，本刊拟另文介绍，此处所要说的是她因为是一个有自立能力的女子，所以有一次她的丈夫裴伊

（Salih Zeki Bey）再娶一个妻子，虽极力恳求她不要介意，仍要她做大妇，她毅然决然的和他离婚。她于离婚之后，仍然有她自己的能力为国家服务，丝毫不受离婚的影响；她的胆量全是由她的能力出来的。后来她嫁与一位医学博士，仍获得愉快的家庭生活。土耳其的多妻风俗和女子的附属地位，和中国是一样的，但是亨南女士因为有自立的能力，便有毅然决然的胆量，依照自己正当的主张做去。就我国说，像恒芳女士勉强过那样淡漠家庭生活的妻子，“无从哭诉”的可怜程度也许不尽同，而这种可怜虫恐怕是不在少数；但是她们虽“很可怜”而仍“没有胆量”反抗，大半都是由于没有自立的能力，为维持生计而勉强忍耐着。所以我们以为要增加妇女的地位，最重要的是要养成可以自立的能力。这是根本的办法，此外都是支支节节的。

以上是因为恒芳女士“孤苦”生涯，引起在下平日感触，不自觉说出了一大堆，现在要转过来针对恒芳女士的信，替她设身处地想想。这种苦恼的家庭生活，解决之法，似乎不出两途：一是如亨南女士之出以决裂的手段；一是想成全的办法。决裂的手段非自己先有自立的能力为后盾不可，照女士来信所言，她似乎因不幸早失怙恃而未获得此种能力，则第一个途径殆可置之不论，只得就第二个途径提出下列几点供女士之参考：（一）人非木石，大概不能无情，女士试以诚意感动“他”，即于平日从种种方面待“他”殷勤周密，处处为“他”的舒适留意，如关于饮食起居衣服等等的事情。也许“他”因感于女士的温柔体贴，无微不至，而良心发现，一变故态。（二）“翁姑看不起”，诚然是憾事，目前女士的“他”既这样“淡漠”，要想“他”因女士而组织小家庭，谅非一时所能希望得到的事情。在此情形之下，只要翁姑没有什么虐待的行为，不妨以泰然的态度处之，所幸与翁姑相处的日子总比与丈夫儿子相处的日子短，只要使得丈夫有善意，教子有义方，自身将来的幸福正长。“翁姑看不起”还不十分重要，不必十分介意。（三）女士的“他”对“朋友的妻子”暗中“动手动脚”，诚属不端的行为，女士恐怕“以后的生活还要不如现在”，所以“没有胆量去劝他”无非是恐怕触“他”之怒。我们以为女士尽可不必出以劝戒的态度与口气，而且更不必在“他有时不高兴的时候”开口。可乘他比较高兴的时候，对他作关心的报告，就说听见“有几个人说他同她的坏话”，如此造谣，真是可恶，听后心里实在替“他”难过云云，如果“他”听了女士的这样报告，并不表示恶意，则女士也许可以乘机婉劝“他”为自己名誉计，以后在举动方面似应力避嫌疑云云，也许可以提醒“他”。这种事须察言观色，利用机会好自为之。（四）男子无故抛弃妻子，须受法律上之制裁，做女子的并不是毫无法律上的保障的，而况女士目前的“他”并未有此事实，所以我们最后要奉劝女士，因审慎计而设法防患则可，断不可以想像上未来的事情而暗自过分悲伤，因为这样常常的暗自悲伤，于身体大有损害，即为自己的爱儿计亦宜自加珍重，自加宽慰。

弱女哀音

顾玉华

我是一个十五岁的女子，在上月间我顽固的母亲已将我配给本乡姓戚的恶棍做媳，预定明年正月结婚。事前又不征求我的同意，对方真是一无所长，连初小没有毕业，职业是更说不到，只在父亲店里做“有手不会做事的浪子”，而且对方父亲又是剥削小民的地方恶霸。我曾向母亲再三劝导解约，并表示誓死反对，均不予容纳。

先生！这是我一身幸福生死关头，请代想一万全方法来抵制。

我因为家属关系，不能将真姓名奉告，请在《生活周刊》上指示，不胜感谢。

〔答〕以十五岁的弱女子，知道“事前又不征求我的同意”之不合理，知道“这是我一身幸福生死关头”，知道“向母亲再三劝导解约”，我们看了之后，不禁肃然起敬，深觉我国女同胞的思想确有惊人的进步，但在上海总算比较开通的地方，女士的家世我们虽未深悉，然即就此短短简洁的一封信，以十五岁的女子能写得出，可见她的家属并非绝无知识的人家，竟有此“顽固的母亲”，又非常可叹。

讲到这类事情，我们向来主张做子女的应请贤明的父母做顾问，而做父母的应绝对的要征求子女的同意，绝对不应加以压迫的手段。而且就法律说，女子在二十岁以内，父母虽有主婚权，但苟未征得女子本人的同意，也是不合法的，也是不能成立的。此时最重要的一步，是顾女士要很显明的表示对此婚约不合意。表示的途径除对自己的家属表示外，还要自动的致函对方家长及对方本人表示决绝的意思。这种信如能设法由律师代发，尤佳，因为将来如不得已而须法律解决，该律师处及该信的存稿即为女士未曾同意的铁证。

此外再进一步的办法约可分为两种。第一种即希望能不必用法律手续而由父母允许代为设法解约。什么方法可使母亲允许呢？或可试用一种“无赖”的办法。试举一个例：有某女士，她的学问道德都很令人敬佩，谈起她从前的事情，有人说过这样几句话：“她在（家乡）女子师范卒业的那年，夫家提出结婚的要求，家里已为她预备奁具。她那时正想到北京（即今之北平）去升学，闻此消息，大哭大闹了几场。盛暑之际，她能偎着厚棉被僵蚕似的僵在床上七八天，卒致害了一场大病，父母拗她不过，只好依了她的主张。她病好之后，跑到北京读书……”这便是“无赖”方法的一个例子。我说“一个例子”，并非希望顾女士也在此大暑天“偎着厚棉被”，更非希望顾女士也真正的去“害了一场大病”，不过要表示如果是自己的母亲，虽然顽固，必有多少怜爱自己女儿的心肠，倘用“大哭大闹”一类的方法，或以拼死的样子来恫吓她（指母亲），激动她的爱怜，（此处所谓“拼死”是假装的，是一种手段，千万不可真死！）也许可以获得她的允许。

上面所说的是第一种办法，如这种“无赖”方法虽大大的用了一番，还未奏效，如于“明年正月”硬塞在“花轿”里“押”过去“结婚”那就完了，所以到此种紧急的时候，只有采取第二步的法律解决办法，即女士本人不得不请律师出面向法庭控告，根据向未同意的理由，依法解约。请律师是要律师费的，而且要请靠得住的公正律师才行，女士的母亲既不帮助，在一弱女子，此点当然不免困难。最好能在亲友中寻得一些帮助。女士既在上海，如到了真正万分急迫无路可走的时候，我的在沪好友里面尚有公正的有名律师，为人道计，我也许可以代求他们设法，帮帮忙；但既不是我自己做律师，做律师的既以此为职业，当然不能常常去请他们全尽义务，所以此事仅能说也许可以，以借万一的救急。

当他和他夫人去接吻时

丁尔罕

我近来看看贵刊，给我无限的快感，有许多久未决定，成了悬案的问题，竟有因贵刊之劝告，而下决心的，使我能奋发精神，努力做去，贵刊实给我无穷的“烟士比里纯”，我当如何的谢你们呢？我只有真正引为知友，而在可能范围之内，尽力的帮助你们。（如为介绍撰稿等。）如今我有两个问题，写在下面，请你答复我，纫感不尽。

（一）我有个同学W君（不是我自己，确是我的朋友），人极和蔼可亲，又很用功，所以我和他十分投契，但是他有个难解决的问题，我不能为他下决策，所以只得请求先生。原来W君从前是在上海读书的，有一年回家去，不知怎的性欲冲动起来，和他的童养媳（就是他的未婚妻）发生了生理上的关系，后来珠胎暗结，给家里人知道，强给他拉合，不过W对于她，一点没有爱情可言，而且W是一个大学将毕业的大学生，他的她呢，却是一位目不识丁相貌恶劣的村姑娘，固然娶妻不必色美，不过也得可以“派司”。而且据W说：她真是木头一般，非但不知温柔细腻，简直不知一切感情，譬如W每年远远的跑回家去，见面时自然是一腔热血，总想得些报答安慰，但当他和他夫人去接吻时，她总老是一动不动，死一般的，使W自己觉得无味，有时竟想自戕！W如果要摸她的……，她总要拒绝的，她以为夫妇只可在黑暗之中干事，决不可在白天有“不规”行动的，你想这样一个家庭，地狱似的，还有什么趣味？无怪W急得叫着，想离婚。我是和贵刊见解相同的，以为无论男女，结了婚就不能如同儿戏的轻易离婚的，所以我常常把此意劝W，他固然是很听我的话，但他那位不能改造的夫人，的确使他有不得不离婚之概，你想叫她读书，她说不能，叫她见客，她老是羞答答的，这样的人，叫W如何要得？所以他想离婚，而此志似乎是渐渐坚决了。我是为她愁，为她担忧，所以写此信，问先生有何妙法，可以给他们解决，救她一命，心感心感！附带报告：W家略有薄产，而她已生二个女孩，现住乡下，大概每年三百金即可度日。

（二）这不是W的问题，也不是我的问题，而是社会的大问题。每天报纸，差不多有五分之二是与男女问题有关的事：奸淫诱骗，婚娶离弃，闹得乌烟瘴气，一塌糊涂。我想社会上的婚姻问题，如果解决，非但可以减少许多无谓的争斗，就是报章也可以省下多少篇幅。（也许是报馆所不赞成，但至少可以经济阅者的时间。）我不是社会学家，也不是婚姻专门博士，而且自己又未结婚，所以是一个双料道地的门外汉，本来不应来多嘴的；但一腔热血，愿就自己平日阅报所归纳的结果，作一个具体的方法，或可减少社会淆乱的情形。我现在把我的意思，写在下面。原则上，我是极端赞成男女自由婚姻，办法上，我以为当由介绍入手，凡已经结婚的男女，都应该负为青年友朋介绍之责。最好每逢星期六，男女二主人请些少年男女，到家里开个茶话会，顺便给他们介绍，不过在事先，应该详细明白他和她的志趣性情，以及一切习惯爱好，择其可配的，使之先由友谊进行，互相切磋，互相帮助。如果他们有不规行动，或将被诱害，或一人已改变志趣等，应即正式忠告一方，或即报告其家长，使之分离；如果二造真是倾心相爱，本正式方法进行，至二三年后，即可由介绍人证明，然后结为夫妇。在结婚之后，我有一个谬见，或者世人将骂我为违反潮流，咒我为腐化分子，不过我自问良心，此法确是最切要最中肯：我以为男女结婚以后，决不能再离异的了，尤其是在我这种制度而结合的夫妇，我想决不致有“始乱终弃”，“中途变节”等等事发生，我的意思，男女结婚之后，决不可准他们离婚，载之法典禁止离婚。如果有人必定要离的话，我只有二个法子：（一）离婚之议起于男的，男即不能续娶；如女的想离，女的即不准再醮。（二）或者男女一律枪决！或某种有期徒刑！使有重大惩罚，彼奸滑之徒，自然不敢弄巧害人了。如此社会离婚及一切苟合等等事，就可免除，而一切混乱的事，也可以迎刃而解了。我的此种意思，是根据现今青年男女的心理行动，及一切所起纠纷的根由原因，而归纳成这个意见，望先生有以教我。

二，五。

〔答〕(一)我们先回答丁君所提出的第一个问题,就是他的同学W君的离婚问题。我们以为一个人对于自己所做的事,须负责任。W君既知对方是他的未婚妻,“不知怎的”和她“发生了生理上的关系”,对于自己的行为便负有相当的责任,非对方有什么失德,或有万不得已的情形,不应置对方的前途于不顾。况且我们觉得他的夫人的相貌,虽“据W说”是“恶劣”,也许是很可以“派司”。何以见得?如果真是“恶劣”,由北平清华大学“跑回家”的“一个大学将卒业的大学生”那里肯“见面时自然是一腔热血……”“……和他夫人去接吻……”而且还“……要摸她的……”?所以关于这一点,似乎应该要劝W君平心静气想一想,如果一定要存奢望,那么好的还有更好的,便非所敢知了。至于“目不识丁”,W君大学尚未卒业,他的夫人的年龄想起来不很大,要她进学校虽不易,想法补习及渐渐养成自修的能力,似乎不难。如W君无力替她延请补习的女教师,那就怪不得她了。最后讲到接吻不得法等等,只要W君能常常带她出外增广眼界,尤其是多看看爱情影片,也不难使她改变观念,似乎不必因此而“竟想自戕”。

再进一步想，婚姻固然是人生一大事，但也不是可以概括人生的一切。譬如林肯总算是世界上一个令人敬仰的伟大人物，但他原有的恋人因种种原因嫁了别人，他后来虽另娶，感情并不怎样好，他竟用其全副精神于事业，做出一番轰轰烈烈的事业来，可见我们倘能用全副精神于学术或事业，在他方面所感的不满，也许可以减轻些。

（二）其次我们要回答丁君所提出的“社会的大问题”。他所说的“介绍入手”，现在社会上已有这种事情，能这样的审慎介绍，当然是一件好事。不过这是出于个人（指可做介绍人的人）的自由，有人喜做媒人，有人怕做媒人，当然不能用法律强制，而且我们不能断言这样做介绍的人都一定能一点儿不会做错，所以丁君说“在我这种制度而结合的夫妇，我想决不致有‘始乱终弃’,‘中途变节’等等事发生”，丁君似乎把这种“介绍”看作万能了，实际不见得如此。

丁君一面把“这种制度”看作一定可以保得定“不致有‘始乱终弃’，‘中途变节’等等事发生”，一面又主张由“这样制度”结婚的男女，“决不准他们离婚”。既能绝对的保得好，离婚便不至有，便没有什么离婚问题，也用不着什么“决不准”了。总之丁君所说的“介绍”办法，是不能保得定婚姻一定不至发生问题的。

既不能把这层“担保”一定做得到，丁君所主张的绝对不许离婚，便失其根据，我们以为如有充分的理由和必要，未尝不可离婚，所以离婚的本身实不成问题，成问题的是离婚的原因。譬如有女子被她的丈夫虐待得惨无人道，她能提出证据，自愿依法离异，我们也要主张她永不准离异，应一世忍受着那样的苦楚吗？这当然是不合理的。

盲　干

梁继登

现在且把我婚姻的经过，问题的解决，忠实地约略向先生一说，是否适当？还请指教！

请先说结婚的经过：

（一）订婚的起因：民国十七年初，我受委南京某机关任一小职员，月薪一百圆。同事某有女，面容姣丽，体态活泼。某以我青年未婚，时在其女前赞我将来必多"出息"。某日蒙约至其寓所宴会（我先已心知其隐），果她亦在座。殷勤招待，无微不至。我当时未表示态度，她对于我一见倾心，此后每令其弟至余寓邀约与她相晤，某晚三人同看电影，她突私投一信于我，回家拆阅，是一封愿许终身的求爱信。当时我虽有如此热情鼓动引诱着，但是也经过下面一段考虑：（1）"她是不是我心爱的？”答：“是的，不过恐怕意志思想不同，学业程度相差太远。”（2）“既然心爱了，意志思想是否可以用爱情的力量来感化她？”答：“她年事甚轻（时年仅十七岁），有感化的可能。”（3）“她的学业程度与自己相差太远（她小学未毕业），现在又不继续求学，将来结婚后是否要发生不幸的事？”答：“恋爱是无条件的，某影片公司出品之《玉洁冰清》一片，描写某少年不爱富家而受过教育的摩登小姐，却爱一个乡下姑娘，即是一例。”依照以上三条答案，我竟贸然接受了她的爱。

（二）订婚后的经过：男女订了婚，已有成约，我逐渐用冷静的态度来观察她的倾向和嗜好。观察的结果：倾向方面有二个，一是她要依靠我过一世，二是她希望我努力于升官发财的工作。嗜好方面是抽纸烟，打麻将，看电影，一个活龙活现的腐败官僚的小姐。但是我仍旧迷信着“用爱情的力量来感化她”这一句呆话，将错就错，贻误了我的终身。

有一次使我最伤心的事，是在我们结婚的前二夜，她突然问我：“听说你家里没有财产的。”

我答：“是的，不但没有财产，而且父母遗下了一笔债务，还要我们偿还呢。”

她听了这句话，顿时面色苍白，并且说：“呀？我对你的希望失了一大半！”我受了这个刺激，她虽失望，我亦灰心，但所谓大喜之期即在目前，只得硬着头皮干去。

（三）结婚后的生活：结婚在十八年初头，平平过去，结婚后即劝她入校求学。她说：“我停学五六年，早无心思进学，况现已结婚，更不能再坐监牢。”她的生活，除睡晚觉，打麻将，抽纸烟，仅瞧瞧电影，看看《安邦定国志》等一类小说。我劝她继续求学，不下三四十次，因求学问题，竟至口角，反目，斗气，闹得天翻地覆。结婚一年半，没有小孩生出来，这是大幸，但我忍不住再过着貌合神离的夫妇生活，我要寻求我的机会，努力创造我的前途，去年夏季竟能如我的愿望，出洋留学了。同她的夫妇生活暂告一段落。

我现在的办法：第一我对她失恋的真实态度的表示。第二我仍旧助她继续求学，虽不能做我的理想老婆，但希望她做一个有用的公民。第三我对她虽已失恋，但夫妇的名分尚未经法定手续的解除，所以我应当对她有物质上供给的责任（现在她的生活，由我维持的）。第四她如得知我的态度，能痛改旧习，破镜重圆，那更属幸事，否则我不愿主动的提出和她离婚，未离婚前决不和其他女子发生恋爱关系，但亦不继续和她再营夫妇生活。第五如不幸像第四条后半节临到我的头上，我唯一办法只有升华我的情欲，从事于我所心爱的学问，于社会有利益的事业，以了我的残生！

这封信里面虽多避讳，但都是事实，请你指教，不要使我失望。再此信务请严守秘密，如要在《生活》上发表，原有姓名均请更改为要！

四，十。

〔答〕梁君这封信，记者当然是遵照他所嘱“原有姓名均请更改”而后发表的，我们把这封信公开的意思，无非要多举一件事实，证明别的事情盲干了也还许比较的易于挽回，关于“大喜”的事情，盲干了是多么够麻烦的！

“貌合神离的夫妇的生活”原是双方苦痛的事情，所以在原则上讲，最圆满的解决办法似乎是索性爽爽快快的脱离关系，但是这样办法在男子方面当然是“最圆满”，因为去了一个“貌合神离”的，很容易再找到一个“貌神两合”的意中人。但是就现在社会习俗及现在女子程度方面说，一则难于自立，二则去了“貌合神离”的，极难再寻得一个替身，所以在男子方面认为“最圆满”的，在女子方面也许要认为莫大的憾事，麻烦焦点，就在乎此，法律上规定必须具有十项理由之一者始得向法院请求离婚（详见本刊第六卷第四期《关于民法上离婚的研究》一文），但经双方本人同意离婚，便无须经过法庭，惟双方同意的“双”字便很难办到。所以我们遇着这类不得不受法律拘束的问题，只得直率承认想不出圆满的办法，不过乘此机会提出此事麻烦之所在，希望未“盲干”过的人不要再“盲干”。

关于梁君所举的第二条，劝她继续求学当然是一件好事情；第三条表示他仍负扶养的责任，也是成全未能自立的女子的美德，当然是可敬的行为：这两点都用不着什么讨论的。关于第一条和第四条的上半段，似乎可以连起来研究，就是先对她说明所以不满意的所在，希望她能“痛改旧习”；倘若她能“痛改旧习”，便可“破镜重圆”。这一层办法，我们认为梁君是对的，应该写详细剀切的信给她，促起她的觉悟。老实说，希望升官发财，固然是具有陈腐思想的女子所常有的心理；恐怕失却丈夫，也是这种女子所最强烈的心理，所以我们深信梁君这样写去的详细剀切的信一定有很好的效力。倘若她仍冥顽毫无觉悟，在梁君可谓仁至义尽，无负于她，就是不幸而离异，在梁君可告无愧了。第四条的下半段，确是梁君自免烦恼的一种办法，因为重婚既为法律所不许，前事未弄清楚，后事宜免纠纷而勿再增苦痛。第五条我们觉得在两方面都太痛苦，倘若冰炭不相容到了这个地步，还是设法协议离婚的好。大概说起来，年龄越大越难改造，梁君的尊夫人现年不过二十岁，入校求学与改去恶习，只要她有觉悟有决心，并非难于达到目的的事情，所以我们以为“破镜重圆”是很有希望，而无须用到第五条的。以上所说的不过研究梁君所提出的办法，记者并无创见加入，因为梁君自己已考虑得很周到。

实在不好意思出之于口

余同瑛

我有一件事想请教请教。但是旧礼教于我十三岁上开始束缚到现在，足足过了三十九年了，则我的年华，不问而知已为五十有二，实在不好意思出之于口，而我的内侄看见我过那镇日忧郁的生活，介绍我阅看贵刊，消消愁而遣遣闷，已有半年之久了，因鉴于先生代人解决困难问题无不入情入理，钦佩得很，则我的难言之隐，也就老老实实，不得不请教先生代为解答了。

我是世代书香的一个弱女子，从五岁起识字读书到十二岁，就算毕了业，脱离书斋的生活了。到十九岁上，曾由父母之命，媒妁之言，嫁与同邑门第相当的某五公子。结褵之后，初尚情好颇笃，两年之后也就渐渐平淡厌故起来了，且常以孟老先生的“无违夫子”一语，为制服我的工具。自由平等之幸福，梦中也未想到。三十年来，儿女成群，陆陆续续婚嫁将毕。世俗所艳称的好福气者，我也是其中的一个。惜乎他的待我始终无一些情愫作用，且无往不含有压迫的意味。我本受过旧礼教的洗礼，并不觉得怎样苦恼，不过他在儿女媳妇面前，从不假我一点词色，甚且对我有过不去的地方，实在是难受得很。

他是时发兽性的一人，家中所蓄的婢女，无一不遭其蹂躏，即女仆及乳妈之略具姿色者，亦无不上他的当。近数年来，又与一位寡居的表妹发生了关系，事机不密，戚友之中几无不知，我为爱惜他的名誉计，苦口相劝，不料他执迷不悟，起了误会，疑我是酸素作用，因之恨我切齿，更不时虐待起来了。

近来他更嫌我容颜日老，面目可憎，逼我与他离婚，因为他的表妹下了一道哀的美敦书，要么正式结婚，否则断绝往来，我才变为他们的眼中钉了。如不走离婚一条路，他总不肯让我过安稳的日子。我与他既无恩情，又难偕老，以我半百年华，与他离起婚来，是否与风化攸关，这是要请先生解答者一。

他有一位表弟某君，品性纯良，行为端洁，亲戚中多钦敬其人，现已断弦两年了。家中有一子二女，需人带领，亲朋代其作伐，某君提出要与我相仿的人物为当选，则某君表同情于我也不言可知了。设或我与他离婚之后，某君以极诚恳之意来对我求婚，是否可以接受？这是要请先生解答者二。

先生，我并不是要嫁人的，更不是要一定嫁某君的，因为我是半老徐娘，受了丈夫逼迫而离婚，处于现在这种刻毒的社会，定为人群所不齿，则我后半世的生活更为惨苦愁闷，不言可喻。为了这两层情事，心中委实决断不下。倘某君属意于我，情愿结为偕老的伴侣，可乎不可？再我因种种关系，现在不能用真姓名奉告，如蒙在贵刊上发表指教，那就感激不尽了。

十八，八，八。

〔答〕这封信信封上的字迹像女子的手笔，而信内的字迹却不像女子的手笔，也许是余女士怕自己文不达意，托那位“内侄”代写的。照余女士所提出“委实决断不下”的各得其所的办法，如可进行无碍而稳可达到目的，未尝不可实行起来。不过事前有几点却须加以注意：（一）吾人做事，须能行吾心之所安，才能免除精神上的苦痛；女士这件事的本身没有什么不合理的地方，但在社会上，尤其是在中国的社会上，必引起好奇心，必引起注意，必引起纷纷的议论，以被“旧礼教”“束缚”“足足过了三十九年了”的女士，是否在心理上能有充分的自立能力，不至被俗见所刺激而感觉不安？（二）假定女士自己能不顾一切而但求自己心之所安，“表弟某君”能否同样的心理与勇气？倘若这两问的答案是“否”字，或一“是”一“否”，则“半世的生活”仍不免“惨苦愁闷”。（三）“相仿的人物”和“真正本人”不可作为一样解，也许“表弟某君”心目中要娶和余女士“相仿的”老处女，而不愿娶离婚后的余女士本人，那么一方面和原有的丈夫离了婚，一方面“表弟某君”却不要，弄到上海人所谓“两头勿着扛”，则不能自立的“后半生的生活”更不得了，所以非“表弟某君”预先明确表示真肯死心塌地的要，不可贸贸然的作茧自缚。

有负此生

彭日京

编者先生：我在二十年前，大约十三岁罢，听一个亲戚讲过一件事。据说他有一个同学，生理上不幸有了缺憾，他父母只此一子，后来为传统起见，在二十一岁那年，为他结了婚，结婚之后，因缺憾的缘故，新人哭吵，坚持下堂，其父母因子实有暗疾，只得听她归去，后来又过了数年——因为这家人家富有，经过许多名医诊治以后——他父母又为他纳一妾，仍又随人私奔。我在那时听了这一段话，年纪还小，并不注意，岂知我二十岁上，自觉也有缺憾，既不敢告人，又不予父母知，我在二十四岁结婚，至今已十二年，所幸我妻系出名门，并无怨色，但我总觉有负此生，并负我妻。并且我因家非富有，蹉跎十余年，迄未一治，近来我的父母，因我并无子女，迁怒我妻，因此我想赶快医治，并且我想世上与我同此病因，同此境况，必不在少数，或能亦有与我同样的要求者很多，所以很希望能在贵刊发表，使大多数同病者，可以得登彼岸，想为先生乐于救济的吧？这真是人生不幸的事，所以很希望医治好来。常阅贵刊，种种要求，均得圆满答复，真是热心济世，所以现在请先生告诉我一个疗治的方法，或介绍热心慈善为怀的名医，使我解除了这个痛苦，真正感恩，非仅身受者一人已也。至于费用，因为此事不能公开设法，靠自己力量，积五月之储蓄，可得三十圆，不过聊补医生之药本耳。再此症，闻须用手术，或电疗，报纸所载，滑头者多，不敢轻于一试，除先生而外，不敢公然告人，此信亦是慌慌张张躲在无人处写来，字迹潦草，诸希原谅，希望即在最近出版之贵刊发表为荷，顺颂撰安！

〔答〕“食色，性也”，虽圣贤不讳言。身体健全，为婚姻之重要条件，彭君告诉我们的那个“新人”“坚持下堂”，这不但是她应有的权利，在礼教吃人的中国，其胆识尤可佩服。至于那个“妾”的“私奔”，虽途径不合正轨，但处此压迫的境地，我们也要原谅她。在下自己就有一位朋友，他的母亲贪了一家五十万的家产，把一个十八岁的聪明伶俐的女儿嫁过去，对方也是一个独子，也是一个没有做丈夫资格的男子，三年无所出，婆婆多方责备，甚至因此加以虐待，这个无辜的女儿一直隐忍了三年，后受自己母亲的私下诘问，才呜咽哭诉实情。但以两方都是“诗礼世家”，礼教要紧，只得牺牲到底，现在这个“聪明伶俐的女儿”在名义上已嫁了七八年，仍时常受婆婆无理的埋怨，（婆婆硬说她的无用儿子已经老早医好了！）抑郁悲怆，已患痨病到了第三期了！“吃人礼教”在这种地方的残杀威权，实可令人发指。如这种不幸的女子，不是生在富于“吃人礼教”的“诗礼之邦”，是生在女权比较自由的西洋各国，爽爽快快的离了婚再嫁人就是了，何至如此好像生吞活剥的陷入黑暗地狱里去！

我脑里有了这个目击的惨剧余影，接到彭君的来信，知道他也白白的牺牲了一个女子竟有了十二年之久，觉得实在是一件惨无人道的事情！虽本刊内容向极审慎，关于生理文字，不欲轻易发表，俾免流弊，但此类礼教吃人的事实，却不得不破例发表，唤起社会的注意。在西洋各国，有的地方领婚书者须附呈医生检验书，我国法律虽尚无此规定，但青年苟“自觉也有缺憾”，当先就诊于诚实可恃的西医，非得医生之许可，决不可陷害他人的终身。至于女子之选择夫婿，其父母及本人须十分注意对方体格的健全，勿因财产或家世所眩而忽略此重要的条件。

再讲到彭君个人的事情，既已作孽到此地步，当速就诚实可恃的西医诊治，更当打破其“不能公开设法”的错误观念，当知身体的缺憾，既是父母遗体如此，并非自己的罪过，即坦白告诉父母，设法医治，有何畏惧之有？倘若这一点道理都不明白，这一点胆量都没有，更何以对得住“并无怨色”已被牺牲“十二年”的“妻”？至于能否医得好，当然要看缺憾程度的深浅，须经医生检验始知。倘若真正医不好，则在我国“吃人礼教”余威犹盛的时代，无辜而又不幸“系出名门”女子，势必只有过黑暗地狱的生活而已，夫复何言！彭君如尽力医治，也许还有希望。如再不肯“公开设法”，连这一线希望也被糟塌净了。彭君来信无地址，名字想也是假托的，倘能以真姓名及地址见示，（可代守秘密）我们也许可以介绍到诚实可恃的西医商量商量。倘彭君的父母或他本人自有可靠的医生，那就更好了。上海滑头医生多得很，要审慎，勿上当。

偶然的传种职务

张固殿

我是一个《生活》的忠实读者。今有一件自以为很难解决的问题，要恳求你指示解决。

我是一个曾受专门学问的人，现在每月收入很足以维持我一家数口的生活。我今年三十岁，我的婚姻是十年前父母之命媒妁之言成功的，对手方是一位目不识丁面貌粗陋的旧式女子，当时我屈服于旧礼教下，勉强结了婚，到现在六七年居然养了三四个小孩，然而这点我自己认为不是爱情的结晶品，乃系偶然的传种职务。她的操理家务，抚养小孩的劬劳，我的确很知感惜，不过我们俩终因知识程度相差太远，所以六七年来在实际上竟无爱的质素在内，更因她屡次生产的关系，色衰肤老，更非昔比，我不愿做假道学，的确食色天性，此语或许先生也会承认的吧？我现在每当公毕回家，一进门就感觉到烦闷不堪，除了无秩序的翻翻书及闷坐之外，精神上丝毫得不到安慰，甚至在办公时间偶一念及，就会思虑不宁，怅惘若失。照这样精神无所寄托的现象，我知道是一件很危险的事，我间尝自思解决方法，然而终觉不妥，今写在下面：

（一）讨妾　然而这是我素来反对的，友朋中也多知道我是位向抱废妾主义者，所以我决不愿干。

（二）征求女友　若在报纸上征求，窃恐事实未成，笑话百出，并且在事实上恐怕好女子决不肯来应征的。

（三）追求　照现在一般的常例，至少资格要“年青，漂亮，西装”三种条件，我一样都不备（尤其西装，我向来主张中国人不应着外国服的），要想找一位素心人，非但没有机会，更无从着手。

我对于现在的妻决非想离婚等事而言此，不过若常此烦闷，不得相当的解决而享精神安慰，非但精神无所寄托，即于身体上亦恐不免发生危险，且在我的事业上恐也要受影响了。为此不避冒昧，万分诚恳地敬求先生详加确定而可能的指示及方法，免我误入歧途，不胜感祷之至。

〔答〕张君这封信本想叫记者直接复他的，我因为这种问题非短信所能尽意，所以征得他的同意，改名换姓，在本刊答复。这是个人的问题，所谓“个人的问题”，并不是说与社会没有关系，是说这类问题须依各个人自己的性格思想能力而解决，没有一个大家可以通用的公式。像这种问题，解决的途径似乎只有两条路，一条是彻底的路，一条是迁就的路；情愿走那条路，这是要个人依其心之所安而决定的，旁人贡其意见以供参考则可，决不能代作最后之决定，所以我劈头就已说过，这是个人的问题。像张君在精神上感到这样的痛苦，在只管唱高调的朋友，一定要劝张君直截了当的离婚——至于无辜被离的女子方面有何痛苦，是只管唱高调的朋友所不愿顾到的。这种直截了当的离婚便是我所说的两条路里面的一条。我说这是一条路，是指事实上可有这一条路，至于我个人赞成与否，尚须附有条件的说明。我不反对双方都不感痛苦的离婚，像西洋女子多有自立能力，又易于再嫁，合则留不合则散，离婚当然可以不算一回事，例如美国电影明星柏莱穆尔已有妻子，后和女明星柯诗德露发生恋爱，和原妻感情破裂，协议离异，原妻漫游欧洲，人问她对柏莱穆尔婚事有何感想，她泰然说愿他们新夫妇愉快，盖爱情既破裂，在有能力的女子亦觉得不愿迁就。不久她在欧洲也寻得一个爱人，成了眷属。女子的自立能力有这样的程度，离婚原可不算一回事，所以欧元怀先生有一次对我说文明程度愈高的国家，离婚案件愈多，未尝没有他的理由。但在女子能力幼稚的地方，离了婚的女子特别痛苦，对于离婚便须特别审慎，不应唱高调而任意牺牲。这里面当然也还有区别，有的女子是穷凶极恶的雌老虎，使你寝食不安，天翻地覆，那就非离不可；有的虽旧式女子，也没有什么知识，但却是旧式的贤妻良母，如张君所谓能“操理家务，抚养小孩”，对丈夫知体贴爱护者，那便应该别作考虑，不应一意孤行（这都是指旧式婚姻已成事实后的情形）。这不过是我个人的意见，也有人觉得用不着顾虑到对方的牺牲苦痛，只须顾到自己的幸福，于是只有彻底离婚才能使他满意，他当然也有他的一番理由，所以我说这是个人的问题，只得各行其心之所安，不能有一定呆板的公式。张君来信原说“我对于现在的妻决非想离婚”，这是他自己已经决定的意思，这第一条路原不必提出来说，但我因为既经公开讨论，也许有人要想起这第一条路，所以我乘此机会略吐我对此层的管见。以下当撇开这第一条路，专从第二条路方面研究。所谓第二条迁就的路，就是在不离婚的范围内想法子。

关于不离婚范围内想法子，张君自己已提出三种，就是（一）讨妾，（二）征求女友，（三）追求。第一法，固无论是张君所“素来反对的”，照我所亲见的许多讨妾的朋友，家里总是闹得乌烟瘴气，焦头烂额，所以我也决不愿奉劝。第二法之不能得到好结果，张君已自言之，而且交女友也不过“友”而已，若要用来满足张君所谓“食色天性”中的一“性”，也是害人的事情，我更不愿奉劝。第三法所谓“追求”，也先要问清目的，倘若目的在上海人所谓“轧姘头”，我当然不好意思自荐做“诸葛亮”。最后我可以举一个例供张君参考，我有一位朋友，他是美国回来的一个博士，现任一个著名大学的校长，他的夫人是目不识丁而且是小脚的旧式女子，但他认她是时代的牺牲者，仍爱怜她，从乡下接来同居，而且说他自己校务很忙，把学校当作第二家庭，专心致志于他的事业，也没有工夫顾及其他的事情。这是委身学业或事业以得精神安慰的方法，虽非人人愿行，但却也未尝不可作为一例。张君如能常念他的夫人之“劬劳”，又念“屡次生产”也非她一人之事，处处加以体谅爱惜，设法使她好好保养身体，虽不能达到怎样的美色，“色衰肤老”总可以使她渐渐的变成色光肤润，张君想也不必做十全的“假道学”，同时设法研究一种学问或尽心一种事业以寄其身心，或更加以相当的娱乐，如看看好电影，加入运动游戏以赏心悦目舒散精神，境惟心造，未尝不可将“怅惘若失”一变而为“欣欣向荣”。我就张君所谓“可能”的范围内，竭我心力，只得想出这一些玩意儿，抱歉得很。

深切的同感

程佩铎

固殿先生：读了《生活》第六卷第六期里你写给韬奋先生的“偶然的传种职务”一信后，使我发生深切的同感，因为我现在的地位和婚姻的结合，照先生信上所说，真是相差不远。我现在才二十多岁，于二十四岁时，和我的丑陋不堪，目不识丁的她结婚，到今差不多三四年了，无意中生了一男一女。在这三四年中，夫妇间的爱情，可说是很淡薄的，（现在好些了。）始初几次三番想求一解决善法，总是想不出来而迁就下去，但是这种勉强的结合，何尝不如先生之精神迷惘呢？况且我现在还不到三十岁，貌虽不美，漂亮的西装倒有一二件，用以引诱一二个时髦密斯，我想是可能的，然而我总恋着她，这是什么道理呢？（一）因为她面目丑陋，目不识丁，被弃以后，一定没有好收场。（二）在我村里弃妇的地位是非常可怜的。以上二条是我怜悯她而迁就的。另外（一）她对我非常尽忠。（二）抚育子女，处理家务，都能井井有条。（三）非常节俭。以上三条，是为她具有良母贤妻的美德而迁就的。反观现代涂脂抹粉的时髦密斯，她的美色虽能使人沉醉，但是察其实际，既不能做良母贤妻，又不能经济独立（指大多数说），单就化妆费一项，既足为内地妇女生活费而有余，而且三心二意，朝结夕离者，又不知凡几？因此我对于妻虽不满意，但时常尽力于可能范围内去爱她，同时采用下列二种方法，以维系我俩的结合：（一）移爱办法，妻虽不可爱，而子女是亲生嫡养的，娇痴活泼，天真烂漫，回到家里，左一句爸爸，右一句爸爸，这也足够爽心了，因此爱屋及乌，对妻也不觉如何可厌了。（二）自励自慰的办法，拿时髦密斯的缺德，与旧式女子美德相比较，我觉得美德与美色是一样可爱的，（虽然人多好色不如好德。）况且我们立身处世，最低度的目的是要成家立业，如要达此目的，就非有勤俭耐劳，苦乐相共的内助不可，而这种美德，在旧式妇女，尤其是面目不美的，尤为具备，所以我以现代的新青年（？）而竟能与此等女子相结合，维系之方法，就是上述二种了。这二种办法，也是在我不欲离婚，不欲娶妾的情态之下所研究出来的，数年以来，夫妇间幸未发生裂痕，据先生文中所述，既生有子女数人（一定是很可爱的），妻又具有良母贤妻的美德，不妨采择上述二种办法，并常多给一般旧式女子以同情，研究彼辈现在地位之落伍和可怜，则厌妻之念，当日渐消逝矣。此祝家庭幸福。

二，十。

〔答〕程君的牺牲自我以救济他人的精神，无论如何，总是足以令人起敬的。“自我牺牲”这个名词有些文绉绉，说得粗浅些便是“自己吃亏”。自己吃亏的事情须由各人自愿，所以我对于此类事，仅愿就事实上作分析的研究与讨论，不愿代人遽作最后的决定。老实说，我对于现在的婚姻制度，根本上就认为将来一定有取消或大大的变换之一日，在目前这种婚姻制度不过是人类文化过渡时代用来保障弱者的一种东西——此处的弱者是指未有充分自立能力与环境的女子；所谓自立能力与环境，不仅指物质方面的供给，并包括思想或精神方面有自立的能力。现在虽常嚷着男女平等云云，而实在自立能力方面，男女未达平等，乃现成的事实，无可为讳。在这种状况之下，倘若你要时可随意娶一女子，不要时便随意离她，把她抛弃，她在生活上及精神上势必陷入苦痛的惨景，故法律特加以保障，非有法律上所规定的种种理由，不许轻易离异。有了这种法律上的规定，女子当然也不易随意与男子离异，但就实际言，男子离后仍易于续娶，仍有以自存，较之女子离后往往陷入绝境者究竟不同，故可以说现在的婚姻制度偏于为女子取得保障，将来女子的自立能力——物质与思想两方面——愈益提高普及之后，婚姻制度必不至再像目前的呆板，到了那个时候，合则留不合则去，男女两方都很自由，不必有任何方面要委屈勉受精神上的痛苦。我以为这样的情形才更合理。我因为有这一种意象，所以对于程君所提出的意思——可以说是在目前呆板的婚姻制度下的万不得已的聊以自慰的办法——认为是不得已的行为，是在目前形势之下顾到人道主义情愿自己吃亏的行为。愿否自己吃亏，能否聊以自慰，这都是个人的问题，所以这种事须各人自决，旁人很难代决。

总之在现在这种呆板的婚姻制度之下，既经结了婚，无论你是新式也好，旧式也好，出于自愿也好，出于被迫也好，只要结了婚，便受法律的拘束，非有法律上规定的充分理由，不能随意脱身。不但受法律的拘束，有的同时也受精神上的拘束，例如张君程君之欲离而不忍离便是明证。换句话说，在目前的婚姻制度之下，上了这个圈套，如因不满意而要想得圆满的解决办法，使有关系的各方面都不感痛苦的解决办法，我认为事实上办不到。我在第六期里替张君所想的不过是“聊以自慰”的玩意儿，程君在此信里替他自己以及张君所想的也不过是“聊以自慰”的玩意儿，都是因为这个缘故。

情海风波

凤　南

在下因鉴于敝校最近发生的一桩情海风波，而引起两点感想，望先生有以教我。事实是这样的：敝校大学部学生A君与B女士有四五年恋爱的历史了，不幸得很，现在他俩因订婚发生问题而决裂了。结果A君主张由法律来解决；但B女士说他和她有过肉体关系，这是道德问题，因此到学校当局去申诉，谓A君道德破产，要求学校惩诫A君。现在事实的结果怎样，双方的曲直如何，都不要去管他，但因这桩事却引起两点值得讨论的问题：（一）恋爱是灵肉一致的吗？假使是的，那么双方在没有订婚的恋爱时期，便发生了肉体关系，于道德方面有关么？（二）恋爱的归宿便一定是结婚么？如果在恋爱时期发生了肉体关系，后来一方面不愿意结婚的话，那么他（或她）要负相当的责任么？敢质大雅有以教之，幸甚幸甚。

〔答〕法律上认二十足岁的成年，《新民法　亲属编》第九百七十四条，规定“未成年人订定婚约，应得法定代理人之同意”，《中华民国刑法》第二百五十七条规定“和诱或略诱未满二十岁之男女，脱离享有亲权之人监护人或保佐人者，处六月以上五年以下有期徒刑”。法律对于未成年男女特加如此审慎之规定者，以年幼识浅，智虑未周，易于上当。若二十足岁以上的独身男女发生性的关系，刑法上不以为罪（此外当然还有社会的制裁），故关于这一层，年龄很有关系。民法上对于婚约及结婚后的夫妻关系，都有相当的保障，关于这一层，是否经过正式订约或正式结婚，也很有关系。现在凤南君所提起的B女士既未经正式订婚，婚姻方面已得不到法律的保障；至于“有过肉体关系”，倘已过二十足岁，则应具自主能力，如自愿上当，很难伸冤。

以上系就法律而言，兹再就凤南君所提出的“道德问题”方面研究。在此新旧递嬗最激烈的过渡时代，所谓道德观念，固难尽同，有的人还视“抱主拜堂”为“可风末世”；有的人甚至主张自由性交或杂交为不背道德。但愚意以为无论新旧，至少有两个前提应该注意：第一，不要害人；第二，不要用欺诈或强迫手段以达自私自利的目的。我想既称为“道德”，无论新旧，总不该害人，也不该欺诈强迫。我们既明白了这两个前提，请以此为根据，进而讨论凤南君所提出的两点。

关于第一点，我们以为所谓“恋爱是灵肉一致的”，并不是教人一有所爱即非实行“肉体关系”不可。将来的世界如何，婚姻制度在将来的情形如何，姑不置论，但在目前的社会组织之下，为维持社会安宁及个人（尤其是女的方面）福利保障计，以恋爱为基础的自由婚姻，在“没有订婚的恋爱时期”，应只有精神的爱，须俟经过结婚程序以后，始实行“灵肉一致”；因为就现实的一般情形说，必如此而后不致于害人（尤其是对女子方面）。仅关于一己福利的事尽管唱高调，有关他人终身幸福的事，唱着高调害人便是自私自利的卑鄙行为。

“那么双方在没有订婚的恋爱时期，便发生了肉体关系，于道德方面有关么？”再就特殊事实问得明确些，此信中所称的A君应负道德的责任吗？我以为这个问题应依开首所提出的两个原则而定：第一，B女士因与A君“发生了肉体关系”，而结果A君不愿订婚结婚，对于她的终身福利有无不良的影响。倘若没有，那她是现今社会中具有特殊能力的女子，不致因此而受苦；倘若有，她便是被害的牺牲者。第二，害她的是谁？这要看此事是出于A君的欺诈呢，还是出于她的自愿？倘若A君最初即声明我主张一有爱即可自由性交的，订婚与否说不定，愿则来，不愿则去；有了这样赤裸裸的表示，如B女士自愿上钩，那么A君固然害了她（假定对她终身幸福有不良的影响），她自己也参加着害她自己，道德上的责任是彼此共负的。倘A君最初并无如此明白的表示，反以婚姻为饵，而B女士心里亦以结婚为归宿，不过以为提前实行“肉体关系”罢了，有了关系，一旦A君以唱高调自掩其丑，则道德上的责任——害人的责任——应由A君完全负之。

我们既明白了凤南君所提出的第一点，关于他所提出的第二点的讨论，比较的可以简单些，因为所根据的两个原则是相同的。恋爱不一定以结婚为归宿，这句话在相当限度之内，我们当然可以承认。所谓“相当限度”，是说为免致害人起见，在未决意要以结婚为归宿的时候，勿即发生“肉体关系”。“如果在恋爱时期发生了肉体关系，后来一方面不愿结婚的话”，谁要负相当的责任？我以为这个问题也应依开首所提出的两个原则而定：第一，此事对B女士的终身福利有无不良的影响，即她是否因此成为被害的牺牲者？第二，A君如自始即有“恋爱不一定以结婚为归宿”的主张，他曾否对B女士明白表示过，征求她的同意而出于自愿，抑或初则阴阳怪气，等她上了当，才厚着面皮唱着高调以自饰其自私自利的罪恶？

荒　谬

申　萍

久经轰动本校——A君与B女士恋爱问题，某君已略述其经过之情形（见本刊六卷二十期“信箱”），但某君不知其究竟，以致局外人不易判断咎应谁属，因欲详述其底细，不得不占贵刊宝贵之篇幅。

他俩最初相识于沪东某野鸡大学，后该校以办理不善，奉令停闭，他俩便又经某教师之介绍，双双考入C校，彼时实占他俩恋爱过程中之黄金时代。入校后A君租屋于校外，B女士居于校中，惟时常至A君宿舍中，同学亦因他俩为爱人，而不以为疑也。B女士并亲自烹物送至A君宿舍中，与彼同膳，习以为常。A君曾向B女士求婚，但B女士以二人方在求学时期，经济既不能独立，况大学毕业期近，尽可待毕业后再议婚事，亦不为迟。当时A君亦不失望，仍爱好如常，不料传闻A君在家中久已订婚之说，并闻家中与A君双方均满意此未婚妻。B女士虽知此事，但日以泪洗面而已，以是容颜憔悴，日甚一日矣。B女士一方面仍进行其爱，并以A君未曾亲自提过，终不可轻信，同时A君有一次曾向B女士说："我有肺病了！你才貌双全，何不另择贤才呢？"B女士闻言之下，马上雇了汽车与A君同去验身体，结果并未有何肺病。B女士因爱而痴，竟不分析A君所言之含有欺伪。又A君因金钱拮据，B女士即介绍彼至上海某公馆教书，所授者为二位小姐。束脩每月约在五十圆左右。B女士始终维护他，方期恩爱如初，又谁知落花有意，流水无情呢？缘B女士确闻彼家中已订婚，并以欲践前约，即要求A君退婚。A君终是迟迟不决，屡次催促，皆以B女士先代拟稿为辞。B女士坦然代其拟稿，由A君亲自书好，同去付邮。忽一夜A君破题儿第一遭至女生宿舍望B女士，B女士喜出望外，因为这时期无疑的是她追求A君，A君开口就说："家中已允我退婚，但又要看看我和你从前通的信，并要你一张小照。"B女士因彼言之成理，悉将A君致彼之情书（除去一封求婚的）完全给予A君。A君转身即走，B女士至此恍然大悟，失声呼救，但为时间所限制，坐待天明，奔至A君宿舍中（A君已迁至校中宿舍，C校有例，女生可随意至男生宿舍），至则只见床前一堆残灰，所谓情书，早已付诸丙丁矣。其时B女士心中方感痛苦，乃又闻A君在沪另有爱人之说，B女士四方打听，结果由门房中得该女致A君之信，推知A君常与该女会面；所谓该女者，即教书某公馆女公子之一也。此为最近一学期之事。他俩之恋爱已呈停顿之现象。后B女士恐A破坏其名誉，曾私取彼致A君之情书于A君箱中。最可敬者，B女士家境贫寒，在校中为一工读生，虽遭失恋与遗弃之痛苦，而临事不乱，毫不示弱，一方面进行交涉，又逢毕业大考，曾亲至首都面诉校长，其成绩仍名列前茅，总计斯役B女士已月来未得安眠，精神方面仍健全如常，闻校中已令该男生自动退学云。萍仰先生言论之公正，敢请先生批评下列诸点：

（一）B女士因爱A君之专诚，拒绝一切爱人，是B女士之青春已全被A君所误，始爱终弃，A君当负道德方面之责任。

（二）A君家中久已订婚，又未告知B女士，再向B女士求婚，已属荒谬。既又说因家中订婚，故不可与B女士结婚，则又何必另爱C女士于上海？是A君视女子如儿戏，实有欺骗行为。大学生之人格堕落一至于此，何异于冷血动物？

（三）A君以B女士私收其信与拿其情书指为偷物，诉诸当局，B女士此举应该的，还是不应该的？

〔答〕我们看这封信里所说的情形，“A君视女子如儿戏，实有欺骗之行为”，已属无疑的事实，申萍君认为“人格堕落”，“冷血动物”，我以为都对；因为“欺骗之行为”无疑地是“人格堕落”的一种表现，用“欺骗之行为”来使人感到无限精神上的痛苦，称为“冷血动物”，也十分确当。

B女士对A君一往情深，不过A君既有了未婚妻，而且有“满意”之传说，B女士从前未知，故无责任可言，既知之后，倘A君对前订者未有不满之充分理由，遽强他退婚，似有未妥；倘A君曾以不满于前订者的话相欺，则B女士亦无责任可言；不过因无知人之明，致最后精神上受了许多痛苦，不无遗憾罢了。但B女士不因此而荒废学业，仍将大学学业告一段落，这种“临事不乱，毫不示弱”的精神，却很值得我们的佩服。人生意义所包含的范围很广，在个人方面学业事业亦其重要方面，为人群服务尤为重要的方面，决不是恋爱问题或婚姻问题所能一网打尽。我们深望B女士对此有明彻的了解与坚决的信心，勿以此一件不幸的事情而灰其壮志。至申萍君所提出的三点，记者认为B女士都处于不错的地位，其责任当全由A君负之。

记者乘此机会，尚有平日积感愿为青年朋友一吐者。现在有一班尚在求学时代的青年，好像竟把恋爱一件事视为可以概括人生的一切，聚精会神抛弃一切以追求，追求而失恋，则抛弃一切而颓荒。这种情形非大学青年所宜有，更非中学青年所宜有。据友人易剑楼君视察各校的所得印象，常见有不少中学生的文卷叙述自己失恋的苦痛，以中学生时代的宝贵光阴，不用以锻炼体格，增进学识，修养品性，以备造成有用之材而为此亟待建设的国家社会的未来中坚分子，乃耗其精神智力，神昏颠倒于失恋之中，此岂徒个人的损失，抑亦民族的隐忧。我们非谓恋爱不应讲，惟在求学时代，应以全副精神求学，何妨把恋爱一事列在求学时代告一段落之后？况依法律在二十足岁以内，婚姻须得父母同意，无完全自主权；又在经济未能自立的时期，在中学时代，此事动不动就不免受父母的干涉，或以断绝经济为要挟，自寻苦恼，何苦来！

一时情感

志　翔

我是个年龄已逾双十，只身异地，孤零无告的弱女子，也曾受过相当的教育，不幸早与慈爱的双亲离别，虽有兄嫂的照顾，也不过名义而已。民国十七年秋，来首都某机关服务，两易其职，对于工作无不时加自勉。每忆我国历史，女子处于宗法社会之下，所感受的种种压迫，种种痛苦，正所谓无以复加，往事重提，尤令人不寒而栗。所幸近年来世界新潮流澎湃而来，凡我女界同胞无不积极奋斗，力谋解放，尤赖素表同情的男子互为声援，始能如期实现，获得待遇上一部分的平等，这是我妇女界新纪录上最光荣的一页。但是所希求和期待的能否完全达到目的，实视后来的女同胞能否继续努力为转移，我是女界一分子，亦当本着奋斗的精神，共同努力，方不负提倡女权为女子谋幸福而牺牲的前辈。我来首都服务，本是初次与社会接触，对于世故人情很少认识，惟知洁身自爱，努力从公，冀工作上得有相当成绩，期与男子并驾齐驱，为我女界争光荣，公余自修，足不出户，游戏场中罕见我的踪迹。不料高等职业机关中所谓知识阶级者，犹有忍心害理而置女子幸福意志于不顾的男子混杂其间，借着社交公开的美名，来作残害女性的勾当！我处有位同事屠某，为人轻浮，日常借着些微事体就来同我噜噜苏苏，为着同事的关系又不能置之不理，只好从事敷衍，久之他见我语言谦和，就肆无忌惮，公然约我去游玩，几次邀约，皆被我拒绝，他犹恬不为怪，仍然继续不断地运用他种种引诱的惯技，我总坚持镇定的态度，假做痴呆，婉言辞谢。但是同事相处，非一朝一夕，尤其是屠某有若狂蜂，不断地向我进攻，我这意志薄弱的处女，不胜其缠扰，终于被他如愿以偿。讵彼包藏野心，得陇望蜀，更作进一步的企图，说什么年近三十，家室犹虚，只身在外，常感无家之痛苦，征求我订白头之约。当时我对于此议，未敢贸然允许，我觉得作终身伴侣，谈何容易？苟非经过缜密的选择，长时间的考察，单以一时情感上冲动而结合的，总不免造成始乱终弃的惨剧，尤其是现代一班无根本信仰的青年，较之胸挂布袋口念南无的老佛婆犹不如！际此公开选择的时机，何能自己放弃权利呢？彼时有位中年同事温君很热烈的爱我，他的人格，学识，志趣皆能引起我的注意，确是理想中的一个终身伴侣，我们虽有友谊，奈因我俩工作不在一起，所以很少接近的时机，而且每逢见面时，他总是千羞万怯，欲言不语的态度，令人闷煞！屠某的手腕确是灵敏。见此情况，惟恐生变，于是积极征求我订婚约，并急于要和我赁屋同居，我因一时情感上的迷惑，经他种种的诱惑手段，竟上了他的当。此中详细经过，我现在也不愿再一一追述，且每忆前尘影事，辄为心痛，故亦不能详叙，总之完全受了他的欺骗就是了。我们原约定在形式上不愿有所现露，讵彼阳奉阴违，处处逞现他的技能，故意暗示给同事知我成了他的眷属，于是平日很关心于我的温君，从此他对我的热诚倏然消逝，我心里虽觉懊悔，但既已受了屠某的欺骗，只好共同生活。相居数月，便觉得他的行动多与我理想上矛盾，多方探听他的家境，始知他在本乡早有婚配，夫妻情感既笃，且是一位贤德女子，操持家务，抚育子女，尤得长者的宠爱。我得着这种千真万确的消息后，有如万刃刺胸，然而为顾全名誉计，一时未便与他决裂，近来反被他的家长探悉，亲自来京，勒令他与我脱离，闹得乌烟瘴气，风声外扬，最感困难的是他犹死不放松，且言我的行动关系他的生存，使我欲进不得，欲退不能，终日如坐针毯，顾影自怜，羞愤无地，自恨因受一时之愚而步入歧途，苦思竭虑，终得不着一个完善的办法。我今急切要求教于先生者有两点：（一）委曲求全，将来可能得着美满的结果吗？不过首要的条件，必须他与发妻离婚，我俩进行合法婚礼，方不失我新时代女子的人格，但是事实上恐不能办到，他的家长绝对不肯赞同，纵然屠某有决然的勇气，但他的发妻如此贤德，屠某这般薄幸，他的内心至少蓄有见异思迁的背景，诚恐我徒然做个残杀他人家庭幸福的刽子手，讲到自己幸福，亦属茫然。（二）脱离。我俩同居已有年余，倘若我自动与他离异，于现行法律上有没有妨害呢？经过这一次重创的我，已是心灰意冷，不愿再谈什么爱情。惟念多么神圣的社交公开，而被一班卑鄙龌龊的男子视为残害女性饱满兽欲的唯一时机，使青年女子堕落于万丈深渊，令人言之切齿，思之痛心！

〔答〕无论何种社会，难免良莠不齐，此不独中国为然，即在社交公开方面有比较长久历史与习惯的欧美各国，亦莫不然，故重要之点在有明确的判断力和坚定的自卫力。有明确的判断力，便不至妄交劣友；有坚定的自卫力，便不至受人诱惑。志翔女士似早已辨明温屠二人之优劣迥异，但终至于“完全受了他（屠）的欺骗”，其病即在缺乏“坚定的自卫力”。女士再三痛恨于“卑鄙龌龊的男子”，其实高尚纯洁的男子非绝迹于世界，“卑鄙龌龊的男子”在世界上亦随处有之，要在能够辨明其为“卑鄙龌龊”而毅然决然的勿与亲近，勿“上了他的当”。

现在女士事已至此，徒然追悔，于事无济，当思所以善后的办法。善后的办法不外合与离两途。关于“合”的方面，女士既认为“事实上恐不能办到”，且疑屠某之“见异思迁”，似已不必多所讨论。若有意脱离，则女士与屠某若未经过正式结婚，在法律上并无何等身分，和他脱离可不受任何拘束。不过如要提出赔偿的要求，须有确受何等损失的证据，否则殊无胜利的把握。倘女士受屠某之骗而经过正式结婚手续，则骗婚律有专条，那是另一问题。

男同学之罪过

白　红

读贵刊“每周大事纪”内本埠新闻“××××”一段，鄙人阅读之下，不胜惊讶而为之惋惜，盖×女士与鄙人乃文中所言某大学高中部同班同学也。女士自杀之原因，就我所知，并非专为“往××路××大学报名应试，但结果发生文凭问题，未能录取”，如说此为其自杀之导火线则可，然总不能为其自杀之唯一原因也。即×女士之脱离××大学高中部亦非上学期，乃是去年暑假后，只因×女士大腹便便，行走于校中，多方不便，况女士并未与任何人订结婚约，于是学校当局为名誉起见，令其停学，归家歇息。盖女士之大腹，实为同班男同学曾某之罪过。女士与曾某平日均喜研究数学，两人常相聚而研究之，积日长久，便发生了爱恋，每日暮时，同学均往操场嘻笑，两人独躲教室中唧唧哝哝，诉说爱情，即逢假期，游戏场中总是一对，卿卿我我可说寸步不离矣。男子究有几多老实者！便启齿向女士求婚。女士个人心中本早已属归曾君，然而伊征之家庭意见，乃父则大为反对。且女士若有生身亲娘，则此事犹可权商，不幸女士亲娘早已逝世，后娘纵好，又何如亲娘之体贴入微，况乃大腹便便，开除归去，家庭中自有一番责备。虽幸得安然产生一孩，然而精神上之损失不免矣！今番另考 ×× 大学，又不录取，雪上加霜，自更灰心。盖女士既未与曾某订婚，而家庭方面又极力从中阻止，又何得造次，以致有此惨剧，而曾某今虽亦与女士同时开除，又终不得认其为妻，或相助于万一。我写此稿，并非在攻击或毁坏他们，实为披露真相之意。且 × 女士素极端庄，天性聪明绝顶，学识既佳，才干又好，曾在全校讲演会中夺得冠军，一时为诸同学所敬佩，今女士如此轻生，实可惋惜。且其所以致死之原因，亦成为今日之重大之社会问题，我不敢加以批评，主笔先生对于答复一切之问题，均甚恳切，而令我万分的满意，今将此事真相贡献与先生，请批评。

〔答〕记者得到此信阅后，为之怃然惘怅者久之，此种事在一般俗人闻之，不加以分析的研究，也许要认为女士自己造出的不名誉的事情，我想到这一点，因为深悯女士遭遇之不幸，不忍于她死后，再公开提起这件事，徒增俗人对女士的不谅解，所以这封信我原不想发表。但既而又想，女士既不幸受屈而死，我认为非她自己之咎，其咎实在办教育的人与家长的人平时缺乏指导青年的责任心或能力，而致酿成这种惨剧；女士既死，诚不能复生，而在一般办教育与做家长的人倘仍无相当的觉悟，则继女士之后而再蹈覆辙之危机，或仍不免，则此事殊有提出略加研究的必要。惟我终不忍于女士死后以近于个人的私事而直率露布女士的姓名与校名，故虽将此信的事实提出讨论，而来信中所提及之新闻标题及女士姓名校名，均代为删去，以“×”号代之，意在专重事实的研究，不愿于女士死后再因此事而提到女士个人的姓名，因为有人也许认为这是关于个人不名誉的事情。

这当然也不是什么有名誉的事情，不过我不愿归咎于天真烂漫的无知青年，却要尽我心力提起办教育的人与做家长的人的注意，以为他们平日对于青年应有亲切的相当训育与指导。做师长家长的人平日对青年固不应作不合理的压迫，但也不应作不合理的放任，即就此信中所述之×女士而论，据信中所说，“女士素极端庄，天性聪明绝顶，学识既佳，才干又好”，她是一位可敬可爱的贤淑聪慧的女子，是无可疑的，又据信中所说，她和曾某之接近，最初实由于“平日均喜研究数学”，发动于学问之切磋，其动机原是纯洁，也是无可疑的。到了后来因切磋学问日久而生爱，“心中本早已归属曾君”，我以为这也未尝不是正大光明的事情。在这个当儿，倘若办教育者能于呆板摇铃上课之外，知道自己对青年尚有关于人生问题的训育与指导的责任，对于他们平日修学乃至操场上的游戏，都应该有亲切诚恳的指导，对于交友乃至恋爱的问题，都可随时随机予以剀切适当的开导。天真烂漫的青年，只要你肯掬诚心指导他们，知道怎样指导他们，未有不从善如流的，以女士之贤淑聪慧，更易受教，何至暗中摸索，糊里糊涂的弄到“大腹便便”，然后“学校当局为名誉起见，令其退学”？现在的教育只知道教人读死书，并不知道教人做人，并不注意教人对于人生问题应有正确的态度，言之实可痛心！在无相当训迪与指导之下的青年男女，学校当局让他们自己暗中摸索，但存袖手旁观，不闻不问的死人态度，等到青年受一时生理的冲动而出了毛病，才大惊小怪的开他一刀——开除——这简直是预设陷阱害人！

其次要说到做家长的人常患的毛病。现在做家长的人决不想你们老头儿有你们老头儿的时代，你们的青年子女有他们青年的时代，却不管三七二十一，对于他们的婚姻仍存着一手包办的死成见，不知道自己应处于顾问与指导的地位，不知道应开诚布公的老老实实的对子女说——尤其是女儿——你有心中人，尽管对我说，我不但不反对，而且要帮你观察，帮你考虑，帮你解决困难，我若看出了对方有何毛病，也要老实告诉你，提醒你。有了这样诚恳贤明的父母，做女儿的人便敢于无话不说，没有心事不可以不和盘托出，而做父母的人对于女儿之处世待人交友应有若何的分际，更应有详尽确切的开导，动以至情，密切卫护，在女儿方面决不至讳莫如深，暗中乱撞，何至于“大腹便便，开除归去”，然后才“有一番责备”？

总之以 × 女士之贤而好学，决无自甘堕落之心，一时为热情所激而未念及因此竟致妨碍求学与前途幸福，我们但有惋惜之心而不忍有所苛责，惟以缺乏贤师长贤家长之指导而趋入歧途，而赍恨以没，实为最可痛惜。

最后记者还有一些愚见，欲乘此机会竭诚为青年男女——尤其是男子——乃至一般人告者，即在此新旧过渡时代，我们不愿作道德上的空谈，但至少应严守一个极简单而基本的原则，即不害人不害己，或至少要不害人。我以为这个极简单而基本的原则，应用很广，即男女关系的问题亦可应用这个原则。试仍以此信中所述的事实为说明的例证，曾某之爱 × 女士，我们姑认他是出于诚意，但和她切磋学问可也，得她同意而和她恋爱亦可也，但要爱护她终身的幸福，便须倾注心意保全她终身的幸福，即有意想要她做终身伴侣，也应当向可以无碍于她的终身幸福的途径上进行，如今却不顾一切，使她“大腹便便”，害她不能求学，害她受家中“一番责备”，害她“精神上之损失”，害她上吊自尽，“我虽不杀伯仁，伯仁由我而死”，曾某清夜扪心自问，何以对此忠诚待他的×女士？苟曾某尚有丝毫人心，思念及此，必不禁放声号哭，无以自容。

再说得直截了当些，一个男子若和某某女子发生关系而不至害她，同时也不害他自己，（有否如此之可能，姑不具论。）我们不愿求全责备。但他若因此而至于害她一生的幸福，甚至绝她的生路，那便是人格卑鄙受铲除的害群之蟊贼！总之，我们的行为至少应严守一个极简单而基本的原则，即不害人不害己，或至少要不害人。

别开生面的大学生

志　毅

有高君幼年失学习商，屡次失败，形容憔悴，抱厌世主义，经他的她（已有婚约的）再三劝慰，他由商而学，投考上海远东大学，居然那糊涂大学把他录取。他天纵的学问，超群的口才，无论什么人见了他，总是敬仰他，羡慕他，进远大不到半年，被许多同学选举，做了那大学的学生会长，同时有同班同学平女士，姿色还不差，稍有资产，原籍常熟，她仗着读书的名义，专在上海交际场中混着，学问一些不管，她羡慕高君的才学，就用种种妖媚的手腕，去引诱高君。当时高君知道她不怀好意，就直截痛快的和她讲已往的失败，并且告诉她已和某女士订婚，隔了两星期他就陪同他的未婚妻到远大去介绍给平女士。他的未婚妻脑筋很纯洁，以为受过高等教育的男女，人格很高尚，同学互相切磋学问，是应该的，决不会有出轨行为，她就自谋生活去了。不料高君和平女士感情一天密切一天，高君素来有咯血症的，发的时候，平女士就不顾廉耻，卜昼卜夜的侍奉着，不许高君通知他的未婚妻。以后高君和他的未婚妻一天疏远一天，差不多信都不通了，专和平女士奔走游戏场影戏院，时间晚了，就同居旅馆，考试起来，总是高君代平女士做的。远大闹风潮以后，校长逃得不知去向，学生们就渐渐解散，各自投考学校去了。高君仗着自己的天才，居然录取法科三年级，平女士东奔西逐，托人运动，好容易勉强进着正风大学的一年级，可是两个大学距离太远，往返不便，平女士淫荡成性，不能安分读书，就设法转学，到法科的附近持志大学来了。于是两个人同去同来，双宿双飞，度着旅馆生活。旁人看起来，好像很有程度的一对大学生，不晓得内中的龌龊，真使人作三日呕。那大学当局，竟置之不问。现在平女士已经珠胎暗结，不能求学了，迫着高君和他的未婚妻退婚，可是高君良心上过意不去，因为以前荒唐不堪，都是他未婚妻劝他入正轨的，他读书她也帮助不少，他前年病得死去活来，也是未婚妻的父亲延医医治好的，现在他已经卒业法科，私底下租了一所房子，预备平女士生育，可怜那平女士的父母，以为他们的女儿还在求学，用尽血汗之资，博得一个私外甥，可笑亦复可怜。现在高君要求双方结婚，这个办法，恐怕只有他们一对法学博士能发明的！我因为他的未婚妻太懦弱，我为她不平，噜苏的写了这一大篇，请求先生指教，救救我的朋友，至感至幸，敬请撰安。

十九，十，二三。

〔答〕志毅女士所提起她的这位女友，碰巧是记者的一位老朋友的女同事，据这位老朋友告诉我说，她（指女友）是一位很聪明的女子，但却是一个痴情者，对于高君仍恋恋不舍。我以为痴情未尝不是天地间极可宝贵的一件东西，不过最当注意的是要看准对象——要看准对方的确配得领受你的痴情。换句话说，要有两痴，你对他痴，他也对你痴，然后你的痴情才值得，否则你的痴情便不值得，便不应再痴下去。

高君得到他的未婚妻的爱护协助，而有今日的学业程度，一旦不胜他人之诱惑，便置未婚妻的柔情蜜意于不顾，这当然是个没有心肝的薄幸男子，这种没有心肝的薄幸男子，就是有着什么“天纵的学问，超群的口才”，只要他缺了这一颗“心”，也便不配领受他那未婚妻的痴情。对方既不配领受痴情，我以为他的未婚妻就不值得再对他用痴情。幸而这位未婚妻还未嫁过去，否则嫁着这种易于变心的男子，将来的苦痛和危险更有不可胜言者；现在幸而尚在未婚时代，我以为以解约为比较最妥的办法。在女士诚然觉得此事之不幸，但我以为那个男子这种“二三其德”的心性在未婚之前发现了出来，比在已婚之后才发现的，还可算是不幸中之大幸。

当然，人是感情的动物，尤其是女子，更富于感情，以这位女子辛勤爱护用着痴情的对象，一旦遇着这样不幸的情形，怨愤烦恼，人之常情，惟既已发现此不幸事，当勉抑感情，稍用理性加以考虑。以女士之品学兼优，已有充分自立的能力，与其勉强嫁给一个没有心肝的薄幸男子，将来受种种活罪，反不如不嫁之为自由。况且以女士的贤慧，不患得不到贤侣，并不必跑到不嫁的路上去。

高君如果真有爱护女士（未婚妻）诚意，真能痛改前非，应设法和平女士断绝关系，那么女士也许还有容纳他的可能；若高君主张双方结婚，则女士决不可上当，无论重婚固为法律所不容，即分妻妾，即平女士愿居妾媵，有了妾的家庭是永远不会和乐的家庭，女士现在既未结婚，尽有悬崖勒马保全自己前途幸福的余地，何必自己跑进这种黑暗的洞子里去；快乐的结婚应以双恋为基础，试问对方对女士的恋爱既在破产的状态中，即勉强结婚，徒增苦痛，有何快乐之可言，故为未来的幸福计，为减少目前的苦痛计，愚意都以直截爽快的解约为较宜的解决办法；若将错就错的敷衍下去，决不是好办法。对于别的事情“太懦弱”也许不打紧，对于有关自己终身前途幸福的事情决不该“太懦弱”。

总之为女士方面着想，要解决的问题可很简单的问一句：“女士还要不要高君？”解决这问题，依愚意不外下面这几条路：（甲）如要的话不外三途：（一）最合理想的是高君痛悔一时之误而痛改前非，设法断绝平女士而仍尽其至诚于原有的未婚妻；（二）干不合法的所谓两头大（但连不合法的双祧理由都没有）；（三）平女士居于妾的地位。（乙）如不要的话，爽爽快快的解约。

甲项的第一途，我们认为不能办到，因为高君并无此决心，而且生儿子是两个人同干的事情，他也不能把责任全抛在平女士身上；第二第三两途我们均认为不妥，因为这样的家庭决无和乐的结果。所以依我们的研究，只有乙项是比较最妥的办法。

解决任何问题，不外平心静气分析研究问题的内容，在可有的几条路中选择比较最妥的一条路立定主意做去。拖泥带水进不进退不退永在迟疑徘徊的境地中，是解决问题最忌的毛病。

叔　嫂

杜国桢

我看过了前两期贵刊“读者信箱”里的“热吻后的烦扰”和“县长的随身姨太太”的两件事情，我不觉发生了我自己的一桩很可悲可惨，和很不足以请先生指导的事情，便在我心中跃出了。我系一个曾受中等以上教育的人，述在下面的事实，自己觉得很为不是，但是出于被动的地位，请先生原谅。我们家里是住在苏州的木渎镇，系大家庭的制度，家严一人，家慈已故，兄弟四人，姊妹三人，我系兄弟中的顶小一个，兄长三人均早已成婚，惟我则因求学和服务的关系，尚未订婚。我的三位嫂中，有一个是很注情于我，我以和她称为叔嫂，万不能有所缠绕，始则设法推却，借词拒绝，继以我年近二十的一个青年，能不被情欲所惑？遂致被情魔所迷，不能自主，我俩之爱情，因之而遂达沸点。虽除我和她两人心照之外，没有第三人得知我俩的情感有如是之浓且厚，但是我以职务关系，既不能时居家中，又不得带之而出，此情此景，实有不可一刻居之势，想同此情者，亦当为我有相见恨晚之慨也。她则时时显露精神上之悲观，我至为忧虑者，即她时而怨言出诸口中，时而短念生诸心内。我兄（她的夫君）虽有生育不全，及不顾赡养的几个缺点，然我终以人伦攸关，她虽屡云愿意和我私奔，但我终未允她，以是种种，她的悲哀状态，更甚于前。若或和她私奔，即或不为人所知，虽能过得甜蜜的日子，而在我兄则既无再娶能力，又无伴彼之侣，设或发生意外，我又将何以自慰耶？处此进退两难之我，实有朝夕不安之情景。用是直言，述此实情，以求先生指示。

〔答〕细读来函，很看得出杜君和他的那位嫂嫂确有可悲的背景驱遣他们走入彷徨的路上去，所以我们只有惋惜，不忍责备。我们试先从法律方面研究，依国民政府最近颁行的《中华民国刑法》第十五章“妨害风化罪”第二百四十五条载“四亲等内之宗亲，相和奸者，处一年以上七年以下有期徒刑”，法律上所谓“亲等”之计算，从己身上下数，以一世为一亲等。例如本身向上数至“父”，“父”为“一亲等”，由“父”上数至“祖”，“祖”为“二亲等”，如由本身向下数由“子”而“孙”等等，亦同。如由“一亲等”的“父”往下旁数至于本身同世之“兄弟”，“兄弟”属“二亲等”。嫂嫂虽属旁系亲，与“兄弟”立于同一地位，故亦属“二亲等”。叔嫂关系既属“四亲等内之宗亲”，在此宗亲关系未解除前，结合便是犯法的行为。在这种关系之下，就是“私奔”，也逃不出法律的制裁。不过仅就法律而论，如那位嫂嫂和杜君的阿兄正式离婚，则叔嫂“四亲等内之宗亲”的关系解除，举行正式结婚是法律上不禁的。

讲到正式离婚，就法律言，“不顾赡养”原可构成离婚的理由，但既是“大家庭的制度”，“赡养”是混在一起的，似乎不甚充分。不过杜君所谓“生育不全”不知何指？如是在生理上没有做丈夫的资格，那只须有相当的医生证明，却是法律上可许离婚的一个很充分的理由。倘若这位阿兄是没有做丈夫的资格，就是硬抓住一个心里对他极不满意的名义上妻子，也是得不到什么

“伴彼之侣”的愉快生活，也终要闹出毛病来的，反不如离婚来得直截了当。

就是法律上的问题解决了，就是离婚的目的达到了，杜君能否和离婚后的她“过着甜蜜的日子”，那全要看他自己的能力怎样，为什么呢？因为这件事总算是一件很非常的事情，恐怕家族亲友为传统观念所笼罩，都要引起一种反感，杜君势必为他们所不齿。在这种状况之下，如杜君可以不靠家族的协助，不靠亲友的帮忙，或就职远方，或在经济上已有实力，而可以自己维持自己和自己小家庭的生活，则在不犯法的范围内，可以说没有什么问题，否则便要趋入很为难的境况了。有否这样的胆量和能力，这是要杜君自己审慎决定，旁人不能凭空悬揣而妄作主张。

“叔嫂”问题的讨论

林鉴秋

读贵刊第五卷第□[1]期“读者信箱”内“叔嫂”篇之答案，窃不能无疑。吾国俗语，有“朋友妻不可嬉”一语，此善良风俗之训条，非吃人的旧礼教可比，朋友妻且不可嬉，何况胞兄配偶，岂可只要法律上无问题，而当事人能经济独立，不靠家族的协助，不靠亲友的帮忙，或者就职远方，即可挈之逃走，过起甜蜜日子的道理；果此种败行亦认为可行，则凡人之欲夺人妻者，只要本人有能力，一面将法律手续办清，即可为所欲为；推而至于其极，就是老子看中了儿媳，或是儿子看中了庶母，都可用同一手段，如法泡制，达其目的，这样的下去，且不说什么夫妇道苦，父子聚麀的那一套老话，

[1] 原稿此处空白。——编者注

请试闭目一想，人类到此，尚复成何景象？你说这是文明吗？我怕是初民时代的野蛮状态呢。你说这是人道吗？我怕是畜生道呢。据鄙见，某君之兄，如果没有做丈夫的资格，其嫂不如堂堂正正的要求离婚，另择配偶，夫弟之外，岂乏良人？何必输情于小叔？至于某君，自始即不应接受其嫂之爱，一着既错，满盘都错，进退两难，系其自作自受，应另求解决之方，不能将错就错。总之，道德无论如何新法，总要在人前说得响，不要鬼鬼祟祟，即同期贵刊“零墨栏”内所谓“光明磊落”是也。今某君与其嫂之关系，固不配说此四字，即贵刊代划之策，不是要做清手脚，免吃官司，就是要断绝家族友亲，或窃负而逃，遵海滨而处，似于此四字亦未有当。贵刊言论，字字珠玑，在社会上威权不小，鄙人素所钦佩，但此种言论足影响青年心理，破坏善良风俗，未敢苟同。吾爱贵刊，尤爱社会，窃自附于诤友之列，奉布所怀。尚希于贵刊上不厌求详的再为讨论一番，借挽颓风，人心幸甚，社会幸甚。惟鄙人不敢自信，恐自己亦在贵刊所谓传统的旧观念笼罩分子之内，倘贵刊另有妙论，以祛鄙人之惑，不吝见教，尤所企盼。

〔答〕林君的热心赐教和他的虚怀若谷的诚恳态度，我们先要对他表示很恳切的感谢的意思。现在敬就愚见所及，答复如下：

（一）林君认“朋友妻不可嬉”为“善良风俗”，我也认为是对的。岂但对于“朋友妻”不该“嬉”，无论对于什么人的“妻”倘若贸贸然“嬉”起来，都是犯法的，因为《中华民国刑法》第十六章第二百五十六条明明载着：“有夫之妇与人通奸者，处二年以下有期徒刑，其相奸者亦同。”但是我们要注意此处的“妻”字，倘若有的女子已经和她的“夫”正式脱离夫妻关系（即正式离婚），或是她的“夫”已经跷了辫子，那么你若和她发生恋爱，只须双方同意，正式结婚，就是从前是曾经做过你的“朋友妻”，现在不是了，你和她尽管大“嬉”而特“嬉”，可以用不着享受“二年以下有期徒刑”。至林君所说“就是老子看中了儿媳，或是儿子看中了庶母，都可用同一手段，如法泡制，达其目的”，若仅就法律一点而论，（听者请慢摇头，关于道德方面，后文详及。）只要正式依法脱离了原有的关系，在法律并无明文禁止的，因为既经依法脱离关系，在法律上你再认她做庶母吗？别人再认她做某人的庶母吗？不！否则关系便无所谓脱离。（关于儿媳亦然。）既然“不”，便和寻常没有关系的人一样。

（二）仅就法律研究人虽有如此之结论，而社会上这种事情究竟绝少见闻者，则以法律的制裁之外，在外还有社会的制裁，在内还有良心的制裁，这一“内”一“外”的出发点都不外乎所谓道德问题，例如林君所提起的“老子……儿媳”或“儿子……庶母”，就是“如法泡制，达其目的”，在外面则为社会人士所不齿，在内面则因父母儿媳为亲属里面的最直接的“一亲等”的关系，在良心上也觉得说不过去。但是我们要知道道德的标准往往因时因地而异。例如在西藏的人民，可以几个弟兄共有一个妻子的，在他们行所无事，社会不反对，个人良心上也无所谓“觉得说不过去”，而在汉地则又不是“在人前说得响”的“光明磊落”的行为了。即就林君所提起的“朋友妻不可嬉”而言，正式离婚后的“朋友妻”，或是寡妇，在中外法律上都不禁止她嫁给她前夫的朋友；但在外国娶朋友寡妇的不算什么一回事，社会不反对，个人良心上也无所谓“觉得说不过去”，而在中国则又不是"在人前说得响"的"光明磊落"的行为了。所以我说道德的标准是往往因时因地而异的，我们还该时时用理性来平心静气研究它的内容，重估它的价值。至林君所谓"总要在人前说得响"固然不错，但是还要看我们是在那一种"人"面前说，你若在辜鸿铭先生面前说我们脑后那一根拖着的辫子是应该剪掉，那绝对是说不响的！

（三）上段说了一大拖，不过和林君讨论"道德标准"和"光明磊落"两点的意思，现在要斩钉截铁的到承蒙林君叫我们"不厌求详的再为讨论一番"的"叔嫂篇之答案"。在未"再为讨论"之前，我有一句话要声明的，就是我们绝对不是提倡什么叔嫂缔婚，更不是提倡叔嫂轧姘头，不过就特殊的事实，加以公平的分析研究而已。同一叔嫂，但各人有各人的特殊的情形，不能一概而论。现在专就杜君的"叔嫂"问题言，据说那位阿嫂的丈夫是"有生育不全及不顾赡养的几个缺点"，我们告诉杜君的一段话，是假定他所谓"有生育不全"是指"生理上没有做丈夫的资格"为出发点而说出来的，有了这种缺憾的丈夫，便应该有自知之明而让他的妻子离异，不应该牺牲别人的一生，所以我研究这个问题时，对于这个“生育不全”的丈夫，确未曾顾到他的一方面的利益。因为他既没有做丈夫的资格，我们也无法顾全他做丈夫的权利。既把这位“生育不全”的仁兄撇开不论，所剩下来的便只有两个人，就是杜君自己和那位“时时显露精神上之悲观”的阿嫂，就这两个人而论，林君的主张也很明白，就是：“某君之兄如果没有做丈夫的资格，其嫂不妨堂堂正正的要求离婚，另择配偶，夫弟之外，岂乏良人？”我们要知道在林君认为：“堂堂正正”，在一般家族却认此事为不名誉，情愿牺牲女子的一生，忍心看她过“悲哀”的生活，否则她的家族应早为提出要求，不必等到她自己去想“淫奔”了。又在林君认为：“另择配偶，夫弟之外，岂乏良人？”而在一般社会，实际上肯娶离婚后之女子者究有几人？故愚意在此种特殊情形之下的那位阿嫂除非杜君能设法拯救她，她只有一生忍耐过她的“悲哀”的生活，于是乎我才想到取消原有名分后之正式结婚的办法。这种办法当然是不幸中的成全，和林君所提起的“老子……儿媳”或“儿子……庶母”，一则尚属平辈，一则尚多一长幼辈分关系，似乎也不能完全相提并论。依此不幸中的成全办法，原有关系既已取消之后，我心目中只认他们两人中一是受习俗所束缚而莫由自拯的可怜女子，一是不顾习俗而拯救他的爱人的男子，不再认他们是叔嫂了。不过在杜君的为传统观念所笼罩的家族亲友，恐怕难免反感，所以我说此事就是离婚目的能否达到，还要看杜君的胆量和能力。

属意鄙人

郭　中

兹有一难题亟待解决，因仰先生高明，特以请教。鄙人受雇某店，迄今六载，极得东翁重用，但翁染嗜好，常不出店，凡有要务，必就其寓而商，因与其第五妾相识焉。妾本良家女，以贫被嫔为妾，虽因年少貌美，最得主人宠爱，但尝延师读书，颇明事理，且有志气，深恨嫁伴衰翁，郁郁不乐，间尝对鄙人泄言及此，辄洒珠泪；近且属意鄙人，曾一再表示，如肯容纳，甚愿孑身相从，俾离苦海。鄙人心怜其遇，极表同情，且因未娶，拟允其请，若将来牺牲一切，亦所甘心。但有两问题未能十分明了，不得不审慎思虑而后行：（一）法律问题，即使我等如愿逃脱，在国内现行法律中未知是否有罪；倘或主人行文相捕，未知可否根据相恋理由反驳；（二）

道德观念，此事本乎拯救弱女一念，行其心之所安，原不能与诱拐同论，但想逃后在一般社会必有责鄙人为绝对忘恩负义者。且若主人因此愤恨而死，未知鄙人应否负道德上之责任？因此两因，未免踌躇，敢请先生略废宝贵时光，即在贵刊上示复，愈早愈妙，则鄙人自能寓目领教，因事关秘密，现在不便以住址奉告也。临笔不胜感盼。

〔答〕这件事郭君提出“法律问题”与“道德问题”，可谓扼要，关于此事的“法律问题”方面，上海本年一月间发生过一件事情，可供参考，大概情形如下：

> 北四川路欧嘉路口开设兴隆汽车行之卞鸿声，年近四十，其妾卞朱氏则年只念一岁。卞有学徒沈森林，年念三岁，与之发生暧昧，由汽车夫潘欧仪孙连三往告卞。惟卞之车每晚做跑狗场生意，故须在午夜一二时归家，遂带沈森林同往，而前晚（一月十五日）沈森林未去，至半夜一时许，卞归家入房，则沈森林已在内，卞即偕潘欧仪孙连三捉奸，扭控五区三所。昨

日（一月十六日）解送地方法院，当奉黎检察官开庭预审。卞鸿声称乃妾与学徒通奸，现有潘欧仪等为证。检察官云："现行法采一夫一妻制，如果是妾，则丈夫没有告诉权。"卞朱氏即声称："原有本夫，在宝山路开煤炭号，因与卞鸿声于未嫁时即姘识，故后来请律师登报与本夫脱离夫妇关系而从卞，昨晚并不与学徒通奸，因一人寂寞，唤学徒来谈谈。"沈森林亦否认通奸，当据潘欧仪孙连三等证称："我们去捉奸，他们袜尚没有穿好！"问官曾问原告"该妾是否系勾诱而来"？卞答"是"。检察官遂大加申斥，以自己诱奸有夫之妇而作妾，虽被告等无耻，然原告自己本人亦非安分，法律不为不正常结合之人保障，一场趣案，就此告终。

这个案子里的情形，和郭君的事实固然不是完全相同，例如那位"第五妾"非由"勾诱"而来的"有夫之妇"，郭君也并不像这位"沈森林"之实行了"发生暧昧”，但有一点很明了的，就是丈夫对妾无告诉权。这一点似可供郭君的参考。不过我们不赞成“逃脱”，那位“良家女”如年在二十足岁以上，依法婚姻有自主权，倘若她果有嫁给郭君做正式夫妇的决心，应该具有勇气光明磊落的和那位“东翁”设法脱离关系，然后光明磊落的和郭君举行正式婚礼。那位“良家女”既不做妾，而郭君又“未娶”，如男女两方诚有彻底的了解与信任，出于两方本人自愿而正式结婚，这是光明正大的事情，男女两方均应理直气壮，以光明磊落的态度和百折不回的勇气做去，即社会里面的腐化分子不免发生反感，只须自问合理便是，依法依理，都不怕没有话说，若鬼鬼祟祟的“逃脱”，自居于“贼伯伯”的行径，倘若“东翁”硬说你们俩偷了多少东西卷逃，出赏捕拿，反而引起社会的怀疑。事情不正当就不该做，如认为正当该做的事，便不应这样鬼鬼祟祟。

其次要谈到郭君所提起的“道德问题”。如果那个“第五妾”原来和那位“东翁”很要好，而郭君用“勾诱”手段分拆他们的结合，则郭君对于他，照常情说，诚不免内疚。倘若是那位“第五妾”自己感觉精神上的痛苦而求援于郭君，郭君自信能负得起卫护她一生幸福的责任，不是因她目前“年少貌美”而取悦一时，那么“本乎拯救弱女一念，行其心之所安”，固不能与“诱拐同论”，在记者认为非但无损于道德，而且含有义勇。

“东翁”对“第五妾”既最为宠爱，一旦听说她要脱离关系，“愤恨”必不能免，不过他娶了五个妾，专一真切的情爱大概是他所不知道的，不过气一顿罢了，“死”大概是不会有的。郭君如果真是出于“拯救弱女”的动机，“东翁”不自量而“死”，亦顾不得许多。婚姻应绝对出于两方自愿，如果那位“良家女”不愿从他，他便不应该强迫她，强迫便是他的错，他不自反省自己的错而气死，那只得说是该死！

不过最后有一点我却要请郭君注意的，就是郭君在决定实行之前，请先自问有无实行此事的能力与勇气。我在上面所说的话是平心静气，用超越传统观念的公正眼光看去的。在不免受传统观念的拘束而胸中先具有偏见的人听了也许不免摇头，而且我颇信社会中有此反感的人们也许不少。换句话说，郭君如实行此事，也许要引起“一般社会”——至少是郭君所接近的社会——

的反感。最先爆发的当然是“东翁”，要请他卷铺盖，使他陷于失业的困境。这种困境，郭君自己有无能力应付？在现今社会组织之下，欲享到愉快的家庭生活，不得不有相当的经济自立能力，这是事实，无庸讳言的。郭君即得和“良家女”“有情人得成眷属”，但拖她同受失业之苦，也不是办法。这一层郭君来信并无供给我们研究的材料，特提出促郭君的注意。所谓“能力”是指物质方面而言，所谓“勇气”是指精神方面而言。这种事情大概必不免受“一般社会”的反感，我在上面已经说过，所以就是物质方面已无问题，没有勇气的人也不敢反抗“一般社会”的逆流。

我们自问是合理的事情，原不畏反抗“一般社会”的逆流，但要反抗，必须具有相当的能力与勇气，然后才有胜利的希望。郭君此事能否获得胜利，我以为也须看他自己有无实行此事的能力与勇气。权利与义务常须并行，要享到相当的权利，必须负得起相当的义务。

县长的随身姨太太

郭莱因

“谢谢你苟延我一星期生命的厚恩！”韬奋先生，我说了这句恭而又敬的话，你怕要摸不着头绪而莫名其妙吗？请你恕我唐突！我开始向上帝面前忏悔，请你原谅我短时间残喘的人儿吧！我今年已十九岁了，这十九年和世界的接触一大半是在父母护养中过日子，一小半是在社会上和环境奋斗，但是奋斗的结果呢？毫无！而且是每况愈下。我在十七岁的秋天，才脱离学校生活而跑到社会的漩涡来。这是因为家父逝世后家境的关系，不容我不行，否则我这点魂灵早已在天空自由自在的飘浮了。

我的父亲是个商人，他因为只生我一个儿子，所以是非常疼爱的，后来他因为在商业上失败了，就在家里坐吃山空，家产渐渐变卖殆尽，他老人家遽弃了我一个孤儿和一个老母而逝世了。后来我的母亲在哀悼之余，好容易浼人把我荐进书局里做练习生。我是受过中等教育的人，处在这种地位，心里不要烦恼么？在上海忍气吞声的过了半年卑鄙生活，正巧轰烈的革命潮流伸涨在我的眼前，我也做了一次投笔从戎的勾当；虽然尝遍了风霜雨雪枪林弹雨的滋味，但为时不久旋即奉令解散归乡，依然是个贫苦的孩子，重新又受了慈母的一番慰护。在乡间苦楚的过了一个多月，后来受了堂叔父的推爱，把我介绍给一个县长当随从书记。这一来又是加重了我的罪愆呢，原来这位县长有个随身的姨太太，今年还不过二十三岁，我因是县长最亲密的书记，所以办的秘密公牍，都是在他自己的房里。在此我要咒诅那个县长太不谅人了，为何不体察到“食色性也”，他偏要叫我教姨太太的书，斶姨太太的字，要姨太太也在一个房间里呢？但是我也不能不原谅他：他终以为我是很忠诚老实的人。啊！天呀！这个情字究竟是在青春时期的忠诚老实的我所能抑制得住的么？而且她加我的一种媚态，岂是不会引动年轻貌美的柔软如孩子般的人之情心么？我忏悔！我忏悔那时的罪愆！——但是我和她的爱还是精神的爱，始终受了环境的支配而未曾发生过一次肉欲的关系；最高的热度，也不过是超过沸点的狂烈的吻一阵罢了。——这样的甜美而含蓄愁苦的光阴，过了不上半年，那位县长因事免职，他就带了姨太太回到“西子湖边东一村”去了，可怜我像失了牧童的迷羊，临别的前一天夜里，只是和她相对饮泣和死命的互抱狂吻，那里还说得出一句话呢？

我现已决计弃了像鸦片使人懒惰的书记职务而跑到上海。我在未到上海之先，心里想：到上海之后，一方面读夜课求点知识，一方面助理人家编著，可以得点经验。但事实是不会像理想的，一切不如意。

编者先生！我在此实在还有难言之隐，说来真是惭愧。我自从受了那位姨太太的情钥启发了我的爱锁之后，在胸间的心苗蓬蓬勃勃的天天长起来，但是将成熟的情种，没有一个天使预备收割，这是我感觉人生最乏味的，人生的意义也是毫无，我耳所闻的是某君与某女士由恋爱而结婚了；目所睹到的是马路上公园中手挽手肩并肩一对对的情人；我有时反躬自省。啊！惭愧！

人生本是求满足而来的，现在的世界既不能给我以满足，死是我满足的目的了，我也顾不得年老白发的慈母了，我决定把同事徐君吃剩的鸦片，从他的抽屉里拿出来，待他走了之后向口里吞。当我把它拿出来的时候，它外面拥护般的包着的正是一张《生活》，我在心乱如麻中摊开一看，脑子里似有了一线希望，我呆想了多时，我想把它暂时藏在身边，俟得先生指示，然后……

再者：我本想写确实的通信地址，因为种种的关系不能写。

十，二一。

〔答〕郭君这封信似乎要限我们在“一星期”内就要在《生活》发表，否则他就要把那“暂时藏在身边”的东西“向口里吞”。无奈我们这小小的刊物因印刷封发需时，在出版前的两星期就付稿，要限于“一星期”内在本刊发表，实办不到。所以这段登出时，郭君是否“魂灵早已在天空自由自在的飘浮”，我们不得而知，又无从寻着他去劝他的“魂灵”慢些“飘浮”，只得仍在这里作姑尽人事的答复。看他这封信里含着不少对于人生的误解，就是他不幸“魂灵早已在天空自由自在的飘浮”，也不妨提出来谈谈，也许还有别人也有相类的误解。

我何以说郭君这封信含着不少对于人生的误解呢？试撮举几点来简单的说一下。(一)他所过的那段“甜美而含蓄愁苦的光阴”已成过去的事实，姑置不论，但他自己既自认“忏悔”，则忏悔之后应往正当的积极的路上跑，为何要跑到死路上去？悔者改过迁善之机，悔而寻死，何贵乎悔？(二)他说“人生本是求满足而来的”还近乎情理的话。至说“现在的世界既不能给我以满足”便是自暴自弃的话，人生的“满足”是要我们拿出奋斗精神自己去“求”来的，不是有什么现成的“满足”由世界“给我”的。(三)人生的光明都是由战胜困难得来的，事业的大小和困难的深浅实为正比例，若一遇困难便寻死，那么世界上所有的“成功人传”都变了“死人传”！(四)要求得“一个天使预备收割”“情种”，虽是人事之一端，然亦不必那样性急，先把事业弄得有些头绪，立得住足，犹有余力则再从事于求爱，尚不为晚。(郭君才十九岁，更不必那样性急。)(五)一人要自强不息，徒事怨天尤人，都不算好汉。（六）昂藏七尺之躯不能护卫一个“年老白发的慈母”而时时想寻死，实是一件可耻的事情！

编者

嫉　妒

刘希杜

我最近接到朋友陈君的来信，很是替他担忧！他要我写信去请问比较高明的朋友，指示他的办法。但我平日读《生活》，很佩所答的圆满，相信请教先生好得多。

他是与毕女士在旧式婚姻下，结婚已四年了。本来他俩都能很相爱，为亲友所称颂。并且已经生了小孩子，他俩看这小孩子，无异宝贝；有时小孩子也确能减少他俩的岑寂。

但是没有两年，他俩的爱就好像有了破绽。你就猜我有他遇，我也猜你有他遇，这样一来，虽有小孩子在中间联络，究竟没有从前那样喜形于色。

在近一年的中间，陈君服务县城，因为离家太远，又工作太忙，确实没有回家；而也没有与别一女子恋爱。

（陈君来信说明。）本年七月间，请假回家后，他的妻毕女士大发牢骚，谓其经久不回，必有他遇。陈君与她辩论，她仍然执迷，遂起口角，而致于相殴。结果，陈君失败。她就把他锢禁，不准他再出去。

他为了这事而流泪。因为他的环境恶浊，家资又入不敷出，怎当得起这种酷刑。并且服务所得到的报酬，也很微小，不能将家中搬住县城，他实在很可怜！他现在首先写信给朋友，谋挽转她的心；如不得已时，或者……这里的意思，他没有说出来，但我想一定不是勇敢的表现。因为他已曾经说过：生了孩子的人而实行离婚是不道德的。

十九，十二，二九。

〔答〕刘君朋友陈君的困难问题大概可归为嫉妒与经济两个方面。我国女子有一件事为他国女子所办不到的——应否如此是另一问题——即西洋女子嫁了丈夫非时常和丈夫在一起同居不可，所谓不可，不但是女子不肯，男子视为不该，而且离得略久，她自有机会另寻男友作伴；中国则不然，除了极少数的所谓“摩登”女子之外，大多数的女子，你娶了她，倘要就事，尽管把她丢在家里，一年回家一两趟聚聚，其余的时候便天各一方，可以不常在一起。此事在男子方面，在外有朋友的应酬混过时间，尚挨得过去，最苦的当然是静守空闺过寂寞生涯的女子。所以毕女士之醋味薰天，虽若过分，而其境遇之苦闷亦实有可以原谅之处。嫉妒因苦闷而愈炽，此种情绪炽热之后，最易闭填聪明，疑心涌起，故陈君和她辩论，她仍然执迷，实意中事，亦实有可以原谅之处。愚意如陈君果有“他遇”之破绽给她看出，固难“辩论”得清楚，倘果为莫须有之冤枉，则诚恳开导，略待时日，女子心肠究竟柔软，且此种嫉妒系出于过于舍不得丈夫，对他实无恶意，不难获得谅解，消其误会，达到“挽转她的心”的目的。

消除嫉妒问题只须确无“他遇”事实从中为梗，并不难于解决，已如上述，所最难解决者，还是第二方面的问题，就是经济问题。在现今的经济制度与社会组织未彻底改造之前，欲享愉快之家庭幸福，不得不有相当经济自立能力，这是无可讳的事实，陈君在“入不敷出”的境况中而结了婚，又不得他夫人的谅解，“流泪”固所难免，但事已至此，悔亦无及，愚意似只有两途可供陈君参考：(一)倘经诚恳开导后，可以“挽转她的心”，陈君目前仍得暂时出外就事，惟设法于每年多回去数次，减少他夫人的苦闷程度，允许她的夫人一俟经济够得上时即可搬出同住；(二)如他的夫人急不及待，那只有言明搬出之后采取绝端紧缩政策，如她能下共甘苦的决心，则极力撙节，一切由他夫人自理，县城与乡下想也不至相差甚大，或可即行设法搬出同住。凡解决问题，方法愈具体，则所须知的实际情形也愈详细，方可作为规划之根据。兹就刘君来信所言之情形，所能代为想到的方法仅此。不知足供参考否。

编者

力促其成

谢励吾

兹有问题一则，谨述于下，敬求明教。

友人方君，有表姊适王氏，数月而寡，以锦瑟年华，遽歌离鸾别鹄之悲，未亡人之身世，已极可怜矣！乃翁姑不谅，以为她命不祥，而薄待之。妯娌辈且以“夫妇齐眉”而骄矜之，凌欺之，冷嘲热讽，使她尤为难堪。不得已，乃忍气吞声，避居母家，以求苟延残喘。父母以彼年方少艾，长此以往，殊非长久之计，意欲使彼再醮，女初不愿，欲守柏舟之操；继念夫家如此，欲归不得，且与王氏，结褵仅一月，（王系商人，结婚甫一月，即就事他乡矣。）伉俪之情，亦甚寻常，殊无为其苦守之必要，乃勉从父母之命。惟其祖母顽固，期期以为不可，方君来就余讨论（时余方养病家园），遂与方君力促其成。今女已离开故乡，而遂双宿双飞之愿矣。惟故乡人士，深中“吃人礼教”之遗毒，对此女固诋毁得体无完肤，而于余及方君亦深致不满，谓劝人改嫁，破坏名节，罪孽深重。此种顽旧见解，殊不值一笑，惟我国“顽固”派如上述之“祖母”及“故乡人士”者仍随处皆是，亲友中之明白事理者多希望先生既于“寡妇再嫁”一问题表示卓见，俾得发聩震聋，倘亦先生所允可乎？

三，八。

〔按〕谢君对此事“力促其成”，我要把“罪孽深重”四字改为“功德无量”四字。愚意以为除非在二十世纪而却顶着十五世纪死脑袋的人，对于寡妇可以自由改嫁的理由，应该都已明白，用不着多费口舌。不过积重难返的顽固心理仍流毒于社会，却是当前的事实，救济之道，一方面在“明白事理”者之提倡合理的行为，只须合理，便须鼓起勇气与不合理的顽固环境反抗，一方面在提高普及女子教育，使她们彻底明白一个人无论男女是有独立的人格，不是别人的附属品，在精神上铲除畏怯的心理，同时增加她们自立的能力与随着自立能力而俱来的社交能力及机会，在实力上有执行自己主张的本领。

编者

心灵深处

莲　莲

近来我的心灵深处有一个极痛苦的问题，因为我是一个极自负的人，平日非至亲密友不愿轻易诉说悲楚，以致给人传作话柄，与我较接近的又都没有能力指示我一条出路，所以想请你给我一个切实的指导。

我结婚到现在才六星期，无论遇见故朋新友都要向我握手道贺，我面上虽则勉强堆上笑容，心头却隐隐作痛，喉部亦不由自主地容易露出哽咽的声调来。因为我已深悔陷入恋爱的漩涡，给我素来快活平静的心湖无限的波浪，但又不愿在未曾决定离婚与否之前向旁人多说废话，所以只好暂装三分假面目。但是，在悲哀的时候接受别人的道贺，是多么滑稽矛盾刺心的一件事啊！

事情是这样的：我是一个旧家庭，专制学校培养出来的规行矩步者，虽则平常亦遇见过不少的男子，但从来没有讲情话的经验。我遇见我爱人的时候已经二十六岁，但还是第一次尝到男子温存体贴的情味。他是一个聪明干练热烈爱国的青年，我的亲友又都劝我不要拒绝他，我们在相识不久之后亦就订婚了，可怜的我，一直到订婚之后才知道怎样自由表情，所以我们订婚之后的热情是日增月加。新婚期内，我感觉到太幸福，太快活，愿想以后竭力劝勉女伴们早点去找有情眷属，不愿天下再有男思女怨的事。

在他离国赴法的前一星期，婚后的第二十一日，他的五个男女友人来我家小住，我当然是很欢喜稍尽主妇之职的。那知他们亲昵混杂的欢笑声中，我不但不能插嘴，亦没有谁欢迎我注意我。而且乱拉乱推的男女交际，我亦很看不惯。到了第二天，他们更加肆无忌惮了。那位将和我丈夫一同去巴黎读书的某女士，行为解放得更是令人作呕，晚上我对丈夫略述意见，那知他竟长篇大论的批评我思想落后，缺少新女子的优点，并说某女士原是他理想的配偶，只因她对他太冷淡无法结婚，而且要我答允他永远可以自由和女友们交际。就从那晚起，我的整个心灵都被痛苦所包围了。显而易见，我的丈夫并不爱我，他虽则因为种种关系，觉得愿意和我结婚，但他的爱还是在某女士身上，这是太不幸福了。某女士和我是绝对不同的人格，她既合他理想，我自然是不合的。我怎能和他结婚？而且他和她现在已到男女交际很自由的法国去了，在一二年中，同课堂读书，同伴出游，情话绵绵，狂歌热舞的机会多着呢！旧友一变而成新欢，新娘一变而为弃妇，是易如反掌的事罢！

但听说某女士恋人很多，我的丈夫只是她几打的恋人中的一个小脚色。似乎她是不会将丈夫从我手中夺去的了，但她绝不以我的幸福而稍事疏远，他又老是敬之爱之地一心向着她，我最好亦只能做一位名义上形式上的妻子而已，我的心永远是痛苦的。与其这样叫我凌迟受刑，倒不如一刀两段的来得痛快。但我既没有毅力和他断绝，他亦不见得有决心和我离婚，这叫我怎么办？

有时候我自己安慰自己说：我又不是一个旧式女子，经济独立已不成问题，到时候准备着走散就罢了，何苦自寻烦恼？但是我的体重日日在减轻，我的精神已一天比一天萎靡，我的心像浸在冰雪里一样寒冷。我觉得我已将整个赤裸裸的心献给了他，要想收回亦已无能为力了，而他却用蔑视的态度任意践踏那颗血淋淋的心，毫不顾惜！天哪！莲子的外层是甘美的，莲心是苦的，当初母亲老叫我阿莲，难道早知道我有今日的苦命吗？我很想追随亡母于地下呵！

韬奋先生，你肯指教我吗？自杀我认为是不应该的，并也是懦怯的，离婚我还没有这个决心，随遇而安呢，我又没有那么达观，难道我应该让痛苦慢慢地蚀食我吗？千万请你指教！

八，二七，二一。

〔答〕我们读完了莲莲女士的这封信，深觉得她是一位情爱专一而真挚的女子，和这样的一位女子结婚，我们正为那位“离国赴法”的“他”“道贺”，而“他”却不知道对女士“温存体贴”，反使她精神上感觉到那样的苦痛，实在使人听了为之怅惘无已，叹为憾事。这件事似可分两种看法。

第一种看法是我们觉得“他”和莲莲女士的感情也许不如她所想像的那样破裂得严重，也许是莲莲女士神经过敏，把爱河中的微波惊为狂澜。例如那位“他”虽说那位“某女士原是他理想的配偶”，但又说“她对他太冷淡”，可见也有未能尽合他的理想之处，否则他尽可早和“某女士”结婚，不必和莲莲女士结婚了。又如他所明白要求的是要莲莲女士“答允他永远可以自由和女友们交际”，现在男女交际公开的时代，只要这种“自由”在情理范围之内，不是上海人所谓“撒烂污”，我们似乎不必大惊小怪，莲莲女士更不必因此而自叹“苦命”，甚至“整个心灵都被痛苦所包围”。我敢于作这样的猜度，尤其是因为他们俩原是幸福的婚姻，而且是刚在新婚之后。爱情虽是很能变化的东西，但无论怎样变，不会变得这样快。倘若我的这样的猜度不无几分是处，我们希望莲莲女士不必遽尔心灰意冷，当善自宽慰，多多和“他”通信，就“他”的复信中也可以考察考察“他”的态度究竟怎样。也许“他”要感觉到朝三暮四的女子之无可取，而深念莲莲女士情爱真挚专一之为可感。

第二种看法是“他”假使果如莲莲女士所愁虑，把女士“做一位名义上形式上的妻子”，遇着这样没有良心不知好歹的薄幸男子，那只有两条路可走，不是下离婚的决心，便只得“随遇而安”，在这两条路之间，无中立之余地。如女士问我这两条路里面还是走那一条路好，我的回答是：倘若我是女子，我宁取第一条路——即下决心离婚——倘若叫我替别个女子打算（即非我自已），我只说请各人就其心之所安而自加选择。何以故呢？离婚的作用是借以减少苦痛。有的女子不但在物质上（即能自食其力）有自立的能力，而且在精神上也有自立的能力，有排除困难的勇敢，当然不愿受“名义上形式上的妻子”的痛苦，办得到“一刀两段”的计划。在这种女子，自以为离婚可以减少痛苦，当然以爽快离婚为比较的可取的方法。自然，在目今不新不旧的中国，离婚后的女子虽非绝对不能改嫁得一个如意郎君，但总比较的不无困难，不过在物质方面精神方面都能自立的女子，便有排除这种困难的勇敢，所谓排除亦有积极和消极两方面，在积极方面，她有力量找得一位如意郎君而改嫁。在消极方面，虽找不到一位如意郎君，虽再嫁不成，她也可以不在乎，不但在物质上可以自食其力，无所倚赖，即在精神上也可就自身的事业或所好的学问，自寻快乐，绝不致因此抑郁愁虑而自寻苦恼（此即上文所谓精神上的自立能力）。像这样的女子，如遇人不淑，不必别人劝她下决心离婚，她自己亦非离婚不可，因为只有这样才能减少她的苦痛。

有的女子不但在物质上不能自立，在精神上尤其不能自立，那么她情愿或只得“做一位名义上形式上的妻子”，因为这种的女子若离了婚，更陷入苦海，使她茫茫无所归，好像缠惯了的小脚，一旦把脚带解放，反而走不成路了！

在这两种之间还有一种女子，她在物质上虽有独立的能力，但在精神上却缺乏自立的能力：她的苦痛实比上面所说的两种女子为尤甚。为什么呢？因为第一种女子可以爽爽快快的离婚而减少苦痛。第二种女子并不要求，也许并不知道结婚和恋爱到底有何关系，随遇而安，浑浑沌沌无知无识地过她的一生，在别人觉得苦痛，在她也许不觉得什么过不去。惟有第三种女子，一方面知道结婚缺了恋爱是要不得的，不愿意随遇而安；一方面又因精神上未有自立能力而没有爽快离婚的勇气，彷徨歧途，无以自拔，其苦痛乃极难铲除或减少。她的苦处是不愿脱离“随遇而安”的境地而又不能“随遇无安”。这种女子的问题最难解决：你劝她下次决心离婚吧，她虽在物质上可以自立，而在精神上却不能自立，仍未能减少痛苦；那么只得“随遇而安”吧，她在精神上又觉得不免痛苦！怎么办呢？办法仍不外两条路，不是下离婚的决心，便只得“随遇而安”，若中立着尽作无益的愁虑，徒然斲伤了自己的身体，实在不是办法！

以上所说的第二种看法虽非专对莲莲女士而发，也许不无聊备参考的价值。我们只希望第一种看法看得准。最后记者还有几句话要竭诚奉告莲莲女士：婚姻固为人生的一大要事，但是决不能概括人生的一切，我们应放大眼光，扩大胸怀，堂堂的做一个人，莲莲女士为着这一件并未绝望的人生局部的事而“体重日日在减轻”，“精神已一天比一天萎靡”，我们觉得太不值得，希望莲莲女士容纳我们的诚恳安慰，一变她对于人生的态度。

编者

第六编　家　庭

凶悍泼辣

章芙婀

我是个世界上最可怜的弱女子，从小时候，不幸父母就相继丧亡，靠着舅氏过活，在那去年春里，舅父忽然听信了一个害人精王婆式媒婆的话，把我许字了一家黑暗的大家庭中，当时我也没有知道仔细。后来慢慢的晓得那家人家，家道小康，翁是没有了，只有一个继姑，凶悍泼辣，兼而有之，常常把前姑所生的子，加以虐待，如同眼中钉，殴打谩骂，无所不至，还有三个小叔，两个姑娘，是她自己生的，性情也是凶悍蛮猛，同母亲真是一般无二。

当时我知道这种情形以后，就恐怕后来的结果不十分好，便悄悄的告知舅父，那知舅父是个旧礼教而犯烟癖的人，这时已受了彼方的信银，便怒冲冲地说道：

“我们是守礼教的人家，现在木已成舟，米已煮饭，照你这样，难道要赖婚吗？我看你没有父母的人，富贵人家有谁要来娶你，我养了你十多年，费了许多心血，这一些事我不好做主吗？”言时声色俱厉，我知无可奈何，不觉放声大哭！后来被舅母听见了就多方来安慰吾道：“嫁人嫁婿，只要他好就是，你何必去管他继姑凶，姑娘恶呢？”当时被她解劝之后，就不由我叹了一声日后之幸福，付之命运之神罢，此去岁香飘桂子时的事情。到了今年三月，完婚了。过门后，他待我尚好，不料那继姑因我舅父争了一些聘礼，就迁怒于我，说我的妆奁破呀，旧呀，不值钱呀……种种挑剔，吹毛求疵，百般辱骂，起初我还忍耐，后来使得我忍无可忍了，便插嘴道：“娶媳娶人，我家本贫，事前何不考虑……”那继姑听了我的话，顿时面上现出青赤色，恶狠狠地向前将要用武的样子，这时恰巧我的他从店里回来，继姑一见了他，不问情由，便放声大哭，倒卧床上，装腔作势，说我如何如何的忤逆她，唠唠叨叨，说了一大篇的话，硬逼他同我滚出去，吓得他连忙请罪，一方又说了我许多的不是，一场风波，暂告平息，可怜我这时虽有百喙也难以辩明了。

他是在一爿小京货店做个小伙计的，月入甚微，那继姑毫不明白这层道理，常常说他完全给了我了，总在我面前说不堪入耳的话，我听得实在忍无可忍了，只得以泪洗面。她这样的常常闹着，还有姑娘辈，从旁撺掇，挑拨是非，胆小如鼠的他，素来畏娘如虎的，慑于这种权威之下，又想到了自己没父母的苦，正是和我一样，想到这里，同病相怜，我两人的泪不由的如珠断线的一般夺眶而出。

我是素有肝胃病的人，经此剧烈刺激后，最近有一夜胃病大发，虽有他煮了热茶给我喝，可是痛仍旧没有止，痛得厉害的时候，好比刀割，在床上乱滚，急得他手忙脚乱，没法可施。

翌日，他因急须返店，无人照拂，即致书我舅父，由舅父雇舟来候，因我患病，寄居舅处，许多不便，不得已暂赁某姓余屋，组织一简陋的小家庭，以为养病之所，不料淹滞床上，一月有余，出门时未拟久住，所有衣服统未带出，近因天气渐寒，雇舟去取，不料入门后，不问情由，大肆咆哮，势将用武，扣不放取，我以众寡不敌，只得牺牲舟资，空手而返，这样已好几次了。

使得我经济上精神上受莫大的损失（每次至少三四元），我虽愤怒之至，但是我是一个女流，也没有法想，旁观的人叫我用法律解决，我一来没有钱，二来也不知道诉讼顺序，并且从小懦弱的，这种抛头露面的事，我委实做不来的，还有人叫我告诉党部和妇女协会，不知有用没有用？请指教。

还有一件事情要请教的，他的生母有奁田若干亩，继姑常常对人说："他的母，我子亦母也，她的奁田，我子亦应有份，他日亦须匀分之。"不知依法律上讲来如何？乞指教。

前天，我再和一个尊长，又叫了船去拿，一入了门，不是开口就骂，便是动手就打，空费了一番喉舌，结果仍旧没有拿到。在外开支很大，长此以往，将何结局，我为了这件事情，受了不少经济和精神的损失，一个也没有帮我的人，与其活在世上受累，倒不如抛却一切的干净，几次要想自杀，被他劝解而罢。他呢，畏娘如虎的并且店务很忙，没有空工夫去干这件事，现在我的叔父想进行诉讼，不知好不好？

附奉邮花十分，回玉请从挂号寄下。如先生以为有公开的价值，把它登出来，千万不要把我真姓名和住址写出来。

〔答〕凡是大家族，十八九都是乱七八糟的，像这封信里所说的情形，也是“守礼教的人家”所干出的好事！我至今还常常听见许多所谓“老前辈”也者，说起我们“国粹”里的大家族制度，还是津津有味，觉得有许多许多说不完的好处，我没有工夫遍打他们的嘴巴，但希望他们不要闭着眼睛说话！

擅自代人误订婚约，既打听到了对方大家族里的黑暗情形，在未嫁之前还不赶紧设法救出火坑，人还未嫁，竟说得出什么“木已成舟，米已煮饭”，这简直是疯狗狂吠，那里是人说的话！

事已糟到了这样的田地，骂两句本已没有什么用处，我们看了不得不污着笔墨骂他两句，也无非希望将来这类疯狗可以少些。就章女士的来信看，已绝对不必作大家族同居的念头，因为再同居就等于再入地狱。如有家产可分，当然是最好能做到分家。依法律上的原则言，父母在世，倘非发动于父母，子女是不能要求分产的；不过有特殊情形时，却未尝不可要求，像那“凶悍泼辣”的“继姑”，既有种种苛虐的行为，仍得依法提出要求的。分产的手续可先请族长出来说话，如办不到，只有依法起诉，不过要求分析祖产的起诉，一定要章女士的丈夫出面。倘若他没有决心，此事便办不了。如章女士的叔父肯出面替女士进行诉讼，只能依法索取她自己嫁过去时带去的“妆奁”，这是女士自己应得的东西，依法是可以索取的。但是这“妆奁”索得之后，是否够“在外开支”，倒是一个问题，如其不够，而女士的“他”又那样无用，则又奈何？（不知女士能自己寻事做否？如有服务社会的能力，当然较易解决。）所以最好的办法还是说动“他”下决心要求分家。如“他”能有决心，仍可由女士的叔父从旁帮忙。至于“生母有奁田若干亩”，如她并无遗嘱分配，依法只得归在祖产里一起公分。

章女士问：“告诉党部和妇女协会不知有用没有用？”这要看该处（即女士的本乡）的党部和妇女协会是否公正，是否热心。如是公正热心，当然可有一种很有力的帮助，“助进女权之发展”原载明国民党政纲的对内政策里。

讨饭亦为心愿

王伯炎

我家父母早逝，有继母及弟妹二人（均继母生）。祖遗田产不足二顷，父殁后，账目由叔父代问，量入为出，尚足生活，继母不悦，叔遂不再问。我之学费，十分困难，因明白经济情形，便节省费用，继母曾命退学，我乃向叔父借款读书，更为节俭，勉强到师范讲习科毕业，虽有志上进，金钱限我没法，何等可痛。及至吾弟入校读书，也是借款，用费不如我节省（较之我实在双倍有余）。我不敢公然说一句话，（私下劝弟节省，弟不之听。）恐继母有闲言也。今年我服务小学，家中更不给分文，初出任事，整顿服装，经济甚窘，苦无可诉，薪不敷用。惟勉力办事，节俭而已。可叹田中减收，家庭生活困难，继母竟自主为弟完姻，费用五六百元，借贷为多，旧欠洋二百元，合欠七八百元，（月利以二分算，年百六十元外。）利息周转，殊为可怕。他人问我，为何不闻不问，其原因有四：一则恐人议为金钱奴隶；二则因职务不便分身；三则受继母舅之反对；四则有人拿债，有人还钱，我能求得自立生活，即可不闹口舌，落得“好儿不吃分来饭”，就把家中一切都抛到九霄云外去矣。日前回里，妻女泣而言曰：“汝太愚矣，彼等饱食终日，无所用心，家中用费，随便借款，且不问我及孩儿之衣服，家中如此，将何了局。最好莫如分居，他日讨饭，亦为心愿。”我教书于外，归欲叙天伦之乐，不料听了这一番妇女噜苏话，很不高兴说：“一个人家，兄弟本睦，自有妻子，便会分居，我本想在社会上，多服务几年；弟在家照应田务，家中和顺过活，是多么好？……‘人生有命’。我没有职业，无独立之本能。虽有千顷田，也难保不遇意外；假使有职业，能够独立，就是没有田产，也可生活。我想做一个好人，焉能分居呢。”事情好巧，我的祖母晓得我回来，也来谈分居的话（想系她们久已商议）。我正烦恼时，不愿意听，祖母说：“祖产原来得不易，却费了千辛万苦；如今你不听我逆耳忠言，不要田产，只知在外教书。……就不知保全祖产吗？况且你说的独立生活，做小学教员，除自己吃用外，还余几文，又能养活谁呢？债务日多，卖田还债，也是不够，你有何法可偿！你讲的话近于书呆，他日才知祖母之言不错：悔不当初哩！”我想了许久，说分居好吧，母必说，儿太忤逆。说分居不好吧，二弟何日省悟！后思前虑，未能决也！

〔答〕兄弟析居，在吾国昔贤，本亦非所反对。故沈文瑞先生亦有言：“子多年长，自然分析，使知稼穑之难，守成不易。”在新思潮中，则几已视为“天经地义”，更无所用其怀疑。况以王君所处境地，欲求适当解决，只有析居之一法，盖向例父在子不得要求析居，今王君之乃翁则已弃养；况其乃弟又已成室，理应各自独立生活。在法律固无问题，言情理亦极融合，即就王君所举之四原因言之，第一恐人议为金钱奴隶，王君既为新学界人物，尽可以“理应各自独立生活”之言宣诸亲友，拿出这一块新招牌来，作为顺应时势的要求，已经很有力量；而况王君之令叔及亲友，对于乃弟行为，必有所知，再引昔贤亦有赞成析居之义以析之，想必无甚困难。王君既知“利息周转，殊为可怕”，尤当知未正式析居之前，对于大家族债务，当负共同责任，追债台高筑，一生还不清，则真为金钱奴隶矣。岂能如王君所举第四原因“有人拿债，有人还钱”哉？至于第二原因，则可于寒暑假中行之。第三原因，则只须有王君自己族长主持，继母舅之反对，不生效力，可以置之不理。

我作此言，并非无故“离间”人家兄弟。盖深信王君所言“家庭问题，也是生活问题之一；兄弟分居，又为家庭问题之一”，全是用社会的眼光观察王君所提出的问题，以为替王君自身小家庭及王君之令弟着想，均以分居为有利。请先就王君自身说，王君如想爱弟，当知“君子爱人以德，小人爱人以姑息”，王君之弟糊涂耗费下去，于乃弟前途有何益处？于兄弟爱情上有何补益？为王君自己小家庭计，则王君夫人之言最为沉痛：“最好莫如分居，他日讨饭，亦为心愿。”我觉得能说这话的人，的确是贤惠有见识的妇人，王君竟硬把顽旧的话反而教训她一番，我很觉得不该，王君当知君之兄弟不睦，决非“自有妻子”所致；当知“弟在家”是否照应田务，抑系“随便借款”；当知“好人”与“分居”

并非势不两立之名词；更当知分居后同心一德之“讨饭”亦愿之家庭，是否比现在“妻女泣而言”之家庭清楚爽快。至王君乃弟方面分居总比不分居为有利，盖可使彼鉴于“稼穑之难，守成之不易”，而能有所“省悟”。

王君言及注重职业而不注重遗产，固为至言。然可得应得之遗产以补助生计上之不足，（据王君祖母言，除自己吃用外……又能养活谁呢？）在现在经济制度之下，亦非“不义之财”。即退一步言，为绝无穷后患计，亦当将家产整理，债务清理，以后划清界限（即析居），宣诸亲友，各负各责。再退一步言，王君诚能自量可以自给而愿弃遗产，亦当宣言于亲友，与弟以后在经济上划清界限，不应糊涂过去也。继母当然有所偏袒，有祖母出来主持，当可避免十分困难。王君另笺并嘱说明析居之分法，据愚所知，须请族长出为主持，分法亦由族长依本地习俗处置。

以上系就王君个人所处之特殊境地立论。读者或有人欲问兄弟究竟不应同居乎？抑析居为必要之事乎？愚以为就现状论，兄弟之各个小家庭，彼此倘能性情极为相近，而兄弟各能自有相当职业，（成家立室后，各须自有其职业，未成室而尚在幼年或求学时代者当然在外。）对于大家族之义务权利能平均分配，则亦非绝对的不应同居。愚友人中之处此情形者不乏其人，惟多少仍不免时有闲言，常生小气。其次则兄弟同居而经济上划清界限，如此则结果较前略佳，在同地任事者，如此有互相照顾之益，愚友人中之处此情形者亦颇多，然彼此儿女一多，小孩无知，彼此不和，为母者各护所生，则亦难免有闲言也。故据愚个人主张，则彼此既成家立业，欲谋圆满解决，尽可分居。平时仍可常相往返，互助互励，于兄弟情义上，感情上，只有增进而无所损失也。愚有一友为江苏吴县人，任事沪上，其母爱幼子而疏吾友及其夫人，姑媳常有愠意，吾友乃挈眷沪滨，任母与弟及弟妇同居，以时迎母至沪游住数日，则见前之姑媳不和者，今则每遇姑来，媳即杀鸡以饷，彼此欢然道故，感情较前大洽矣，苟处此情形而固执不分居之旧见，则永无得见天日矣。故就彻底解决言，愚主张兄弟当析居，且深信析居并不至损及手足情义，就有特殊困难之境地言，则尤主张兄弟析居，且深信不析居绝不能有改良或彼此清楚爽快之一日。

我们宁可做老处女

李　秋

我自阅贵报，精神上获得不少的安慰，感谢万分！现在我有个疑难，至祈先生为我解答，尤所心感！就是我的好友王女士现在因为家务的处理，儿女的牵缠，对于她所任的职务，——某小学的级任——竟不克兼顾，以致时常缺课，有时文卷山积，无暇批阅；因此学校当局大为不满。她呢，从此若顾了家事，不去教书，那么就要感到经济上的压迫；她丈夫待她虽好，可是无力去贴补她。若顾了职务，那么家事又叫谁去料理？（她们是小家庭，并无长者。）所以她精神上感到一百廿分的痛苦而无法解脱。而我们看见了她处境这样可怜，于是无不异口同声地说女子一出了嫁，便把自己的前途送掉了。未出嫁时的她，在求学时，成绩总冠侪辈；即在服务时，不也是教法新颖，曾为督学所嘉许的吗？并且她平日好学深思，实堪为女界中之翘楚。可是她一出了嫁，养了两个儿子，家务压在她身上，终日操劳，连新出的书报都不看了。日间除为了钱的缘故，不得不抽暇到校上课外，余下的时间，总是替小儿做鞋补袜，忙个不了。那么照这样的情形，我们宁可做处女，来得逍遥快乐，总不愿像她这样钻进那牢狱似的家庭，去天天受苦。并且即使有些女子，处境并不像她那样的苦恼，却是家产富有，尽可在家照顾儿女，把儿女照顾得很好，克尽为母者保育的责任，但同一照顾，照顾少数人，何如照顾多数人呢？倘这位贤淑的女子，能在某学校内教导一班儿童，那么这班儿童不是受益匪浅吗？所以女子为了要尽量发展她固有的特长，实在还是不出嫁的好！先生！我知友的痛苦，现在如何可以排除？我们的意见，是否有当？

先生，我们都是未嫁的女子，我们想倘一个女子出嫁了，便把她活动的范围缩小在家庭内，我们认为是最苦的一回事！

〔答〕不但女子说出了嫁不自由，我有许多男朋友，也有的叫苦连天说娶了妻不自由。其实这也看你所有的小家庭是怎样的小家庭，不能一概而论。我们向来主张做男子的要有了相当充分的经济能力才宜结婚，否则便是讨苦吃，嫁给这种丈夫的人当然也是讨苦吃。我的西友里面有一位英国人密尔斯君（Mr. Mears），二十二岁到上海，在某公司里任事，到了今年三十岁才去寻了一位未婚妻，我问他何不早些寻得，他说要等到自己事情做到了相当的时候，经济上有了相当的准备，才可想到成立小家庭。他现在每于明媚的晴天，陪同他的未婚妻到吴淞或他处去携手游览，其乐融融，他还不想立刻结婚，要等到明年才结婚。这种审慎成立的小家庭，便不至于感到“一百二十分的痛苦了”！我国人一方面想享小家庭的幸福，一方面似乎太性急，强作自己力量所做不到的事情，当然易于受苦！这不能怪小家庭的不好，是没有力量维持小家庭而强有小家庭的不好。就此观点说来，李女士的知友所以苦，是她所处家庭状况苦，不能因此说出嫁的人都要和她一样，都要嫁给和她一样的家庭。

我们以为有相当的爱人便嫁，没有相当的爱人便从缓，继续的留心物色，不必一定说必定要嫁，也不必一定说一定要做老处女。要办到这层，做女子的当然先要养成可以自立的能力，否则非嫁无以自存，便有无可如何之势了。

李女士说："我们想倘一个女子出嫁了，便把她活动的范围缩小在家庭内，我们认为最痛苦的一回事！"这诚然是现成的许多事实，但是这也在乎人为。我有许多朋友的夫人，她们虽嫁了，还是能同时在社会上服务的，（服务时间有的要因此减少一点。）不过子女不可太多，有一两个已足，多了便没有办法，这一点在现在科学昌盛的时代，有很便当的节制生育方法，不是不能预防的。

李女士问起："我知友的痛苦，现在如何可以排除？"我们以为不妨把校里所担任的功课减少些，收入虽略少，比完全没有总好些，否则一直做不好，就是要做，学校方面恐怕有所不许。这样能多腾些时间出来照料家务，也许是可以办得到的。此外也许更要劝她的丈夫以后要用科学的方法节制生育，否则恐怕累上加累，不免加苦。

救我姊姊的性命

梦　生

自从拜读《生活》以来，得到不少的益处，不胜感谢。现在有一件难于解决的事，我们用十二分的诚意，请你代为解决一下。

我有一个姊姊出嫁已有八年，姊姊的公公及我的姊丈服务政界。姊丈有两个弟弟两个妹妹，姊姊和姊丈的爱情总算还好，并已生了三个小孩。这种情形，外表上看来似乎很好的。那知内容大大的不然！公公是常年在外面做事的，一年难得回来几次，婆婆呢，是一个百事不管的人，两位弟弟和妹妹完全是旧式少爷小姐派，性情怪癖，脾气很大，时时为了一些小事，侮辱我的姊姊。婆婆素来是纵容他们惯的，当然不会帮姊姊说句公平话，姊姊为人向来不肯无故受屈的，但为维持感情起见，不得不忍气吞声的和他们勉强敷衍。姊丈很是懦弱，做了哥哥反而畏怕他的弟妹，所以姊姊被他们欺侮，姊丈不敢多说。最难堪的事是姊姊出嫁许多年，姊丈还不能信她；最可笑的，终年不许她出来，连娘家也不许她回去，还要疑她有不正当的举动，暗中时时无形的压迫。有时还要说“嫁鸡随鸡，嫁狗随狗”的腐旧话！姊姊的心胸还算旷达，想想事已如此，只好希望感情不十分决裂，所以时时劝他，想使他改去这种坏脾气。不料他说：“我是生成这种脾气的，如你不欢喜，可以离婚。”姊姊处在这种黑暗的环境，精神物质多受重大的痛苦，时时暗中哭泣，常说一定不会好死的。我虽可怜她，也无法可以救她。倘然彻底解决，势必离婚。但姊姊又舍不得三个可爱的小孩。倘长此迁延下去，很虑姊姊渐趋厌世自杀一途。敢请指示迷津，救救我姊姊的性命，那么我当永久不忘你的恩惠了。

〔答〕我们看了这封信，更深切的感觉大家族制度之非铲除不可，并深觉婚姻事前之极当审慎。至于梦生先生所提起的这件事，大概家庭的事，往往情形复杂非简单叙述所能尽。例如“弟弟和妹妹”的“侮辱”到底到何程度，还是不过时有口角呢，或是在事实上有难堪的虐待行为，都非局外人所能深悉。而且关于这种事的解决方法，也全视本人的性格能力而定。有的人既然觉得处境“黑暗”，若有经济独立和服务社会能力的女子，也许爽爽快快的离婚，脱此苦海；有的人也许离了婚更觉得难过，反而“渐趋厌世自杀一途”。所以我们以为这种内容复杂的事情，要本人先自己拿定一个主意，决定一个目标，然后合于这目标的，断然进行，间有困难，勇敢排除；有了目标，即遇困难，即势逆来顺受，应付的态度既不同，心境当然也迥异，因为注意在达到目标，困难或逆境之来，不至使受者即心灰意冷，反加受者排除的勇气。用此原则来谈这位“姊姊”，她可就自己的情况，在几条可走的路里，选一条比较上自己最情愿做的，定了主意，便放手做去。这是要自决的，不能他人代决的。至于可走的路当然也要本人就所处情形考虑一番，非局外人所能强定的。譬如认离婚是自己情愿做的，是一条路；认暂时“勉强敷衍”以待“妹妹”出嫁，“弟弟”自立，“可爱的小孩子”长大，再获得可以自慰的局面，是一条路；认自己是家中女主人，决采相当的对付方法，也是一条路。总之主意拿定之后，有了目标，就是排除困难时，心里的反应亦可较前两样，不至徒作无谓的盲目的伤悲，至于厌世自杀一途，无论如何，总是不对。因为就是不做“妻”，未尝不可做“人”。

编者

三联经典文库第二辑简目

《游击战教程》　明凡 / 著

《游击战术纲要》　陶剑青 / 编著

《汪精卫卖国的理论与实践》　钱俊瑞 / 著

《抗战以来》　韬奋 / 著

《陕行纪实》　楚云 / 著

《随军散记》　沙汀 / 著

《被日寇囚系半载记》　王研石 / 著

《倭营历险记》　房沧浪 / 著

《活跃的新西北》　田影 / 编著

《保卫华北的游击战》　刘清扬　陈北鸥等 / 著

《徐州突围》　《徐州突围》编委会 / 编

《沦亡的平津》　长江　小方等 / 著

《淞沪火线上》　胡兰畦等 / 著

《瞻回东战场》　长江　罗平 / 著

《东线的撤退》　胡兰畦等 / 著

《抗战中的西北》　徐盈 / 著

《鲁闽风云》　徐盈等 / 著

《西线生活》　西北战地服务团集体创作

《中国解放区见闻》　［美］福尔曼著 / 朱进译

《全面抗战论》　潘汉年 / 著

《日本的间谍》　范士白自述 / 尊闻译

《日本大陆政策的真面目》　国难资料编辑社 / 编

《民众动员论》　李公朴 / 著

《中国外交史》　钱亦石 / 编著

《太平洋军事地理》　蒋震华 / 著

《世界经济地理讲话》　思慕 / 著

《列强军力论》　［德］马克斯·威纳尔著 / 宾符　仲持　梅益等译

《近代国际关系史》　张铁生 / 著

《太平洋现势手册》　沈志远　石啸冲 / 编著

《近代世界政治史》　钱亦石 / 著

《从战争到和平——一九四五年的世界政治》　乔木 / 著

《战后日本问题》　思慕 / 著

《最近一年间的国际动态（1946.7–1947.6）》　《东北日报》社 / 编

《论政党》　翟放 / 著

《法与宪法》　韩幽桐 / 编著

《中华民国宪法刍议》　罗家衡 / 著

《民主·宪法·人权——作之民》　费孝通 / 著

《宪法论初步》　潘念之 / 著

《对反民主的抗争》　韬奋 / 著

《农村改进的理论与实际》　江恒源 / 著

《上海产业与上海职工》（上下）　　朱邦兴　胡林阁　徐声 / 合编

《陶行知教育论文选辑》　　陶行知著 / 方与严编

《中国通货膨胀论》　　杨培新 / 著

《中国及其未完成的革命》　　H·普拉特著 / 蒋天佐译

《中国的建设问题与人的训练》　　卢作孚 / 著

《论中国特殊性及其他》　　艾思奇 / 著

《中国经济问题讲话》　　钱俊瑞　徐雪寒　王渔邨　姜君辰　骆耕漠 / 合著

《中国经济的道路》　　许涤新 / 著

《中国财政之病态及其批判》　　孙怀仁 / 著

《官僚资本论》　　许涤新 / 著

《五四运动之史的评价》　　陈端志 / 著

《中国通史简编》（上下）　　中国历史研究会　范文澜 / 主编

《论文学的工农兵方向——读〈在延安文艺座谈会上的讲话〉》　雪苇 / 著

《中国近代史（上编　第一分册）》　　武波 / 编著

《文学百题》　　傅东华 / 编

《中国史学之进化》　　周谷城 / 著

《论民族形式问题》　　胡风 / 著

《论批评》　　荃麟等 / 著

《中国史纲》（第一卷上下、第二卷上下）　　翦伯赞 / 著

《近代中国思想学说史》（1–4）　　侯外庐 / 著

《中国政治思想史》（上下）　吕振羽 / 著

《中国哲学史纲要》　向林冰 / 著

《中国政治史讲话》　钱亦石 / 著

《中国社会经济史纲》　王渔邨 / 著

《新财政学大纲》　千家驹 / 著

《太平天国革命运动论文集——金田起义百周年纪念》

华北大学历史研究室 / 编

《理性与自由——文化思想批评论文集》　胡绳 / 著

《战斗者的诗人》　黄药眠 / 著

《国语文法》　曹朴 / 著

《教育哲学》　张栗原 / 著

《妇女问题讲话》　杜君慧 / 著

《婚姻·子女·继承》　沙千里 / 著

《性教育新论》　布士克　雅各生合著 / 董秋斯译

《狱中杂感》　杜重远 / 著

《七人之狱》　沙千里 / 著

《爱迪生传》　伍况甫 / 译

《歌德自传》（上下）　歌德著 / 思慕译

《尼赫鲁自传》　［印度］尼赫鲁著 / 毕来译

《列宁传》　［苏］凯尔任采夫著 / 企程　朔望译

《罗斯福总统传》　C. Mackenzie 著 / 张尚之译

《托尔斯泰传》（1-3）　［英］阿尔麦·莫德著 / 徐迟译

《革命文豪高尔基》　［美］亚历山大·康恩著／韬奋编译

《鲁迅纪念特辑》　新中国文艺社／编

《回忆鲁迅先生》　萧红／著

《人民文豪鲁迅》　平心／著

《亡友鲁迅印象记》　许寿裳／著

《鲁迅思想研究》　何干之／著

《鲁迅研究》　夏征农／编

《过来的时代：鲁迅论及其他》　雪峰／著

《电影戏剧表演术》　洪深／著

《日常心理漫谈》　［美］约瑟夫·查斯特罗著／曾宝施译

《心理常识漫话》　朱智贤　杨云美／著

《读书的方法与经验》　王任叔／著

《美国黑人生活纪实》　［美］加德维尔　斯坦倍克著／董秋斯译

《初访美国》　费孝通／著

《事业与成功》　［美］马尔腾著／汪原放译

《萍踪寄语（初集）》　韬奋／著

《一生的幸福前途——〈生活周刊〉信箱选集》　生活书店／编选

《深刻的印象》　生活周刊社／编

《海外的感受》　生活书店编译所／编

ISBN 978-7-108-04599-7
9 787108 045997 >
定价：46.00元